La diète des tricheurs

Version originale anglaise par Health Communications, inc. sous le titre
The Cheater's Diet, © 2005 Paul Rivas, M.D., et Ernie Tremblay

THE CHEATER'S DIET
Copyright (c) 2005 Paul Rivas and Ernie Tremblay
Published under arrangement with
HEALTH COMMUNICATIONS, Inc., Deerfield Beach, Florida, U.S.A.

C.P. 325, Succursale Rosemont
Montréal (Québec), Canada H1X 3B8
Téléphone: (514) 522-2244
Courrier électronique: info@edimag.com
INTERNET: www.edimag.com

Éditeur: Pierre Nadeau
Coordonnateur: Jean-François Gosselin
Traduction et adaptation de l'américain: Étienne Marquis
Révision: Denis Desjardins, Paul Lafrance et Pascale Matuszek
Design de la couverture: Andrea Perrine Brower
Infographie: Projet Bleu

Dépôt légal: premier trimestre 2006
Bibliothèque nationale du Québec
Bibliothèque nationale du Canada

© 2006, Édimag inc.
Tous droits réservés pour le Canada
ISBN: 2-89542-182-X

AVERTISSEMENT

Toutes les informations contenues dans ce livre ont été vérifiées avec le plus grand soin. L'éditeur ne peut être tenu responsable pour d'éventuels inconvénients liés à l'utilisation des recettes et des conseils contenus dans ce livre. Consultez votre médecin en priorité.

Québec ::   **Canadä**

L'éditeur bénéficie du soutien de la Société de développement des entreprises culturelles du Québec pour son programme d'édition.

Nous reconnaissons l'aide financière du gouvernement du Canada par l'entremise du Programme d'aide au développement de l'Industrie de l'édition (PADIÉ) pour nos activités d'édition.

Paul Rivas, M.D.,

avec E. A. Tremblay

La diète des tricheurs

PERDRE DU POIDS
EN TRICHANT LA FIN DE SEMAINE

EDIMAG
PRÈS DU PUBLIC

NE JETEZ JAMAIS UN LIVRE

La vie d'un livre commence à partir du moment où un arbre prend racine. Si vous ne désirez plus conserver ce livre, donnez-le. Il pourra ainsi prendre racine chez un autre lecteur.

DISTRIBUTEUR EXCLUSIF

Pour le Canada

LES MESSAGERIES ADP
2315, rue de la Province
Longueuil (Québec) CANADA   J4G 1G4

Téléphone: (450) 640-1234
Télécopieur: (450) 674-6237

Table des matières

Remerciements

J'aimerais remercier mon personnel en entier, en particulier Cricket, Joannie et Pat. Vos efforts loyaux et inlassables au fil des ans sont plus appréciés que vous le croyez. Vous êtes en fait la raison pour laquelle mon bureau fonctionne.

Merci à mon frère Mark Rivas. C'est un grand plaisir que de travailler à tes côtés. Tu fais en sorte de rendre le simple fait de venir au bureau plus amusant que jamais.

Merci à Ed Levien pour son amitié, ses conseils et son humanisme.

Merci à un autre Ed — mon agent, Ed Claflin — d'avoir cru en cet ouvrage.

Ernie, tu es le meilleur rédacteur médical pour expliquer la matière à des non-initiés.

Toute ma gratitude à Allison Janse, de Health Communications Inc., pour son discernement et ses conseils dans l'édition de ce projet. Un énorme merci à Jeanette Tremblay pour son inspiration culinaire et ses recettes délicieuses.

Merci à mes patients d'avoir cru en mes recommandations.

Enfin, merci à mes trois enfants, les plus merveilleux du monde, Elizabeth, Sarah et David, et à mon épouse, Tammy. Sans votre amour et votre aide, tout cela n'aurait aucune signification et n'existerait sûrement pas.

Introduction

Si on vous offre un emploi ennuyeux et répétitif, à raison de 16 heures par jour, sept jours par semaine, année après année, avec un salaire intéressant dès le départ mais aucune possibilité d'augmentation ni de bonus, combien de temps croyez-vous que vous conserverez ce poste? Vous risquez fort de l'abandonner au cours des 12 premiers mois. Il vous semblerait complètement irréaliste d'envisager de passer le reste de votre vie à faire ce genre de boulot. Néanmoins, c'est exactement le genre d'attentes qu'on entretient lorsqu'on se met à la diète en vue de perdre du poids.

Qui peut manger des plats fades ne contenant aucun hydrate de carbone ni gras 365 jours par année, chaque année de sa vie? Qui peut vivre en consommant 1 500 calories par jour et jamais plus? Il n'est pas surprenant d'apprendre que 95 % des personnes à la diète rechutent et que plus de la moitié d'entre elles le font dans les premiers 6 à 12 mois. Les diètes sont ennuyeuses! De ce fait, elles sont vouées à l'échec. Et comme vous le verrez dans ce livre, même si vous prévoyez suivre une diète à long terme, votre corps finira par s'ajuster à vos nouvelles habitudes et se mettra à stocker des réserves.

Vous évitez les dépressions professionnelles en brisant la monotonie de votre travail, en prenant des congés et en vous permettant d'avoir du plaisir à l'occasion. La bonne nouvelle, c'est que vous pouvez faire exactement la même chose avec votre diète. Vous pouvez prendre des fins de semaine de congé! Vous pouvez tricher en mangeant vos aliments préférés! En prime, prendre des moments de repos et tricher pendant les week-ends vous aidera à brûler encore plus de calories.

La diète des tricheurs ne fait pas que vous encourager à tricher les fins de semaine: elle vous exhorte à le faire en consommant des aliments délicieux tels que le chocolat, le vin, la bière et la pizza. C'est vrai! Pendant la semaine, vous apprécierez les petits plats conçus pour vous faire perdre du poids sans pour autant abandonner le gras ou les glucides. Une fois la fin de semaine arrivée, vous choisirez tous les aliments que vous aimez, du gâteau au steak. La diète à temps partiel vous permet de dire adieu à la privation et bienvenue à une alimentation saine et aux tricheries, sans culpabilité.

Le plus beau de tout cela, c'est que ça marche.

Comment je le sais? Je l'ai constaté. Je suis médecin spécialisé dans l'étude de l'obésité et de la perte de poids. En plus d'une décennie de pratique, j'ai vu plus de 15 000 patients lutter contre leur poids, essayer une multitude de diètes pour, au bout du compte, échouer. Je suis aussi un interniste, c'est-à-dire que j'ai une expertise dans plusieurs disciplines. Ainsi, je ne me contente pas de faire en sorte que mes patients enfilent des vêtements plus petits; leur santé reste ma préoccupation première. Je ne crois pas que les diètes qui coupent les glucides et vous permettent de manger des aliments remplis de gras saturés constituent une très bonne idée. Je ne suis pas non plus un adepte des régimes stricts qui réduisent à néant votre consommation de gras mais vous invitent à vous «bourrer» de pain blanc, de riz et de patates.

Les gens qui veulent perdre du poids ont besoin d'une diète qui ramène le plaisir de bien manger; qui n'entraîne pas de tracas, d'anxiété, de culpabilité et de sacrifices; qui combat la capacité naturelle du corps à s'adapter aux conditions qu'on lui impose; qui offre beaucoup de variété; enfin, qui améliore la santé. Voilà ce que vous propose la diète des tricheurs. Bien sûr, si vous persistez à suivre le même régime faible en glucides ou en gras qui vous mine le palais depuis des mois, les principes que vous lirez ici fonctionneront de pair avec ce régime. Là où la gestion du poids et la santé sont concernées, il y a une nouvelle règle d'or: les tricheurs gagnent toujours, et les vainqueurs trichent toujours! Par conséquent, lisez ce qui suit, ayez du plaisir, et bon appétit!

1

Le dénouement heureux
qui pourrait être le vôtre

Il était une fois Martha G., une femme dans la mi-soixantaine de Baltimore, au Maryland, qui souffrait d'un dangereux surplus de poids. Comme bien des gens, elle se battait contre cette réalité depuis trop longtemps. Elle avait tout essayé, des médicaments causant une dépendance jusqu'au calcul des calories, en passant par les programmes de substitution d'aliments et les groupes d'entraide. Rien n'avait jamais fonctionné. Elle perdait certes du poids, cependant elle le regagnait tout de suite après. Mais Martha avait du cœur et n'était pas prête à abandonner. Elle décida donc de se donner une autre chance.

Cette fois, elle essaya une approche différente. Plutôt que de couper les glucides, les gras et les calories, elle décida de manger tout ce qu'elle aimait : pain, rôti de porc, côtes levées, purée de pommes de terre et sauce. En moins d'un an, elle avait perdu 20 kg (45 lb) et ne montrait aucun signe de défaillance. C'était mon travail de découvrir ce qui s'était passé. Souvenez-vous : je ne suis pas un détective mais un médecin.

Ce qui descend finit toujours par remonter

Presque tout ce que je sais à propos de la perte de poids, je le tiens de mes patients. En dix ans de pratique dans ce domaine, j'ai eu plus de 15 000 professeurs. Ils m'ont appris à ne pas juger mais à encourager; à ne pas prêcher mais à écouter; à ne pas pousser mais à guider. Toutefois, la première et la plus importante leçon qu'ils m'ont apprise est simple, fondamentale et pratique : les diètes ne fonctionnent pas!

Dire cela est une hérésie, je sais, mais c'est néanmoins la vérité. Est-ce qu'une diète vous fera perdre du poids? Bien sûr. Presque toutes les diètes vous permettront de maigrir, que ce soit en coupant les glucides, en réduisant les gras, en contrôlant les portions ou en comptant les calories. Est-ce que ça vous donnera une meilleure santé? C'est possible, à court terme. Mais les études montrent le contraire puisque, à long terme, la situation tourne au yo-yo entre la perte et le gain de poids. Or, le problème est là, car toutes les diètes mènent au yo-yo.

Plus de 90 % des gens qui perdent du poids le reprennent en moins de deux ans. Étude après étude, c'est un fait avéré. La raison? Les diètes sont ennuyeuses. Elles évacuent votre liberté de choix et, peu importe votre degré de créativité dans la cuisine, abandonner le pain, le steak et le chocolat vous donnera l'impression que vous vous privez. Ainsi, lorsque vous trichez — et vous tricherez! —, le ciel vous aide. Y a-t-il pire sentiment que celui qui vous envahit lorsque vous chipez une pleine poignée de biscuits ou gobez un bol de crème glacée au chocolat?

Après coup, bien entendu, vous faites la promesse de retourner aux règles de votre diète. Pendant que la personne assise devant vous à la table dévore un savoureux hamburger au fromage, vous grignotez votre pita fourré de quelques morceaux de dinde et de fromage. Au dessert, la personne à vos côtés entame un sundae au chocolat fondant tandis que vous commandez une tasse de café que vous sucrez avec un sachet d'édulcorant. Combien de fois cette situation se produira-t-elle avant que vous ne lanciez la serviette et plongiez dans le festin, pour vous rendre compte six mois plus tard que votre poids n'a finalement pas bougé? Qui peut vivre ainsi, 24 heures sur 24, sept jours sur sept, une vie entière?

CE QUI REND LE GRAS DANGEREUX

Il est évident qu'un surplus de poids cause du stress et des tensions dans le corps. À long terme, croit-on, voilà pourquoi les personnes obèses ou vivant avec de l'embonpoint sont plus sujettes à mourir jeunes d'une maladie coronarienne. Leur cœur doit travailler plus fort, donc il se fatigue plus vite. Des études récentes avancent toutefois une autre théorie : les cellules adipeuses sont de petites manufactures qui pompent des hormones, dont la leptine, bien connue pour son rôle dans le contrôle de l'appétit. On connaît aujourd'hui environ 25 autres hormones générées par les cellules adipeuses, et nous en découvrons de nouvelles chaque année. Le problème, c'est que plus ces cellules se gorgent de matières grasses, plus elles absorbent d'hormones. Dans ce cas, plus ne signifie pas mieux ! En grandes quantités, ces composés chimiques resserrent les vaisseaux sanguins, permettent aux matières grasses de passer dans le sang, font augmenter le taux de glucose et la sécrétion d'insuline, engendrent des plaques dans les artères et nourrissent les cellules cancéreuses. En fait, la Société américaine du cancer estime que l'obésité et l'embonpoint sont à la source de 90 000 décès par cancer chaque année. Bref, le gras n'est pas qu'une substance jaunâtre inerte qui colle à nos artères comme du beurre d'arachide. En excès, c'est un organe actif qui produit des poisons!

Débarrassez-vous-en. Maintenez donc votre diète les jours de semaine et, les fins de semaine, trichez un peu. En faisant cela, vous pourriez prolonger votre vie de 2 à 10 ans.

Pour rendre ce portrait plus sombre encore, retenez que même en continuant votre diète assidûment, votre métabolisme finira par s'habituer à ce qu'il reçoit, ralentira ses activités et économisera ses calories, sans égard au peu de nourriture que vous ingurgitez. C'est une réaction naturelle, qui peut notamment vous sauver de la famine. Donc, si vous voulez continuer à perdre du poids en agissant ainsi, vous devrez réduire vos portions en deçà de vos besoins minimaux. Faites le test en demandant à une personne suivant un régime faible en glucides depuis deux ans ce qui se passe lorsqu'elle ajoute ne serait-ce qu'une tranche de pain à son menu quotidien. Les kilos recommencent à s'accumuler et il devient de plus en plus difficile de s'en débarrasser.

Que savons-nous donc de plus?

Voilà le genre de problème qu'éprouvent mes patients lorsqu'ils se présentent à mon cabinet. Quand j'ai ouvert ma clinique en 1994, je les aidais de la même façon que les autres médecins spécialisés : je leur disais de manger moins. Lorsqu'ils ne pouvaient pas le faire de façon assidue, je leur faisais la morale. Inutile d'ajouter que ma méthode n'était d'aucune efficacité. Après tout, si vous abandonnez une diète parce qu'elle est ennuyeuse, restrictive et inefficace, comment voulez-vous qu'un médecin vous convainque de la reprendre?

Mes patients avaient besoin d'une nouvelle approche. Certains demandaient des médicaments, et j'ai commencé à leur en prescrire. La médecine a fait des pas de géant en cette matière. Pour plusieurs, les suppresseurs d'appétit offrent un moyen sécuritaire et efficace de maintenir un poids santé. Mais les pilules ne conviennent pas à tous. Elles coûtent cher et ne sont pas couvertes par tous les programmes d'assurances. Qui plus est, on peut se sentir mal à l'aise de devoir s'en remettre à elles pendant toute une vie.

J'ai donc fouillé dans la documentation afin de trouver des méthodes qui aideraient les gens à contrôler leur poids. Croyez-moi, il n'y a pas une diète, pas un organisme d'aide à la perte de poids, pas une seule étude que je n'ai pas regardés de près. Et qu'ai-je trouvé? Les nouvelles diètes sont simplement dérivées d'anciennes diètes. Les groupes d'entraide, même s'ils procurent un soutien non négligeable à leurs membres, ne présentent pas d'idées novatrices pour perdre du poids et maintenir un poids santé. Quant à la plupart des études, elles tendent à prouver que ce qu'on appelle des thérapies nouvelles est un savoir disponible depuis des années déjà.

Parce que mes patients ne sont pas prêts à attendre après la science pour une possible réponse dans un avenir incertain, ils prennent les moyens de s'occuper de leurs propres affaires.

Une leçon à retenir

Le fait est que plusieurs de mes patients avaient déjà trouvé la réponse à ce que je cherchais. Martha en était un bon exemple. Lorsqu'elle est venue me voir, ses échantillons sanguins étaient normaux — elle n'avait aucun des problèmes de santé qui affligent les obèses, comme le diabète et un haut taux de cholestérol —, mais un fort sentiment de fierté à l'égard de sa personne et de son apparence l'animait. Avoir des kilos en trop lui donnait l'impression qu'elle projetait une image de laisser-aller. Elle était donc très motivée à perdre du poids.

À sa première visite, je lui ai fait mes recommandations habituelles, qui incluaient des mets faibles en gras et à teneur en glucides allant de faible à modérée. À sa deuxième visite, je lui ai demandé comment ses habitudes alimentaires s'étaient transformées. Elle a pris un air penaud.

« J'ai triché. J'ai pris quelques verres ce week-end », dit-elle.

« Un verre ou deux de vin, j'espère, ou une bouteille de bière?»

« Non, répondit-elle, de la vodka tonic. J'ai entendu dire que c'est plus faible en calories. »

Voilà ce qui arrive un jour ou l'autre à presque toutes les personnes qui essaient de perdre du poids : elles admettent qu'elles ont consommé de la nourriture ou des boissons qu'elles n'auraient pas dû. En d'autres termes, elles trichent.

Je servis à Martha la même réponse qu'à tous mes autres patients. Je lui dis que c'était correct de sauter en bas du train en marche, que prendre un verre, manger un morceau de gâteau ou un bol de crème glacée, par exemple, n'affecterait pas son poids, en autant qu'elle rembarque aussitôt dans son programme. Par expérience, je sais que les gens qui se privent de leurs aliments favoris dans le but de perdre du poids sont ceux qui ont le plus de chances d'abandonner en cours de route.

Ainsi, une partie de mon travail consiste à les encourager, encore et encore, à y aller modérément avec eux-mêmes. Manger un petit gâteau n'est pas péché, peu importe que vous vous sentiez fautif ou que votre entourage tente de vous faire ressentir de la culpabilité. Peut-être que le temps est venu d'en finir avec ce cornet de crème glacée!

Éventuellement, cet encouragement a commencé à rapporter des dividendes là où je ne les attendais pas. Un modèle était en train d'émerger du comportement de mes patients. Après avoir été rassurés sur le fait que briser les règles n'était pas si terrible que ça, certains d'entre eux se sont mis à tricher sur une base régulière. Ils s'accordaient une ou deux journées par semaine pendant lesquelles ils adoucissaient les règles et mangeaient presque tout ce qu'ils aimaient. Ils ne se gavaient pas, mais se montraient indulgents sur la deuxième assiette ou sur les aliments de la liste des interdits, c'est-à-dire ceux contenant beaucoup de gras, de féculents et de sucres.

Ce qui m'a surpris le plus n'a pas été le fait que ces patients n'avaient vécu aucun recul ni plateau dans leur perte de poids. C'était qu'ils perdaient du poids plus rapidement que les patients qui ne trichaient pas sur une base régulière. Et ils étaient bien plus susceptibles de demeurer fidèles à leur programme alimentaire sur de longues périodes.

À partir de ces constatations, il me fallait pousser plus loin mes recherches, cette fois pas au sujet de la diète mais au sujet de la tricherie! En l'occurrence, d'autres aux États-Unis composaient avec des données similaires. Le Dr Teddy Mitchell, directeur médical du Cooper Wellness Center de Dallas, au Texas, obtenait des résultats intéressants avec une méthode dite du « 80/20 ». Cela signifie qu'il apprend à ses patients à consommer des repas sains et faibles en gras 80 % du temps, et ils doivent consacrer le 20 % restant à leurs aliments préférés, quels qu'ils soient. Cela se traduit par quatre jours de régime et un jour de congé. Barbara Crosby, chercheuse en nutrition à Valley Stream, dans l'État de New York, rapporte que des femmes mangeant des plats de 500 calories supplémentaires à leur consommation de base pendant une journée de fin de semaine ont affirmé avoir brûlé jusqu'à 10 000 calories de plus par semaine.

« Je mange beaucoup de poulet, de poisson, de salade et de légumes pendant la semaine, explique Martha. Et je mange du pain, habituellement de blé entier. Pendant la semaine, ce n'est pas difficile d'être bon là-dedans. Mais j'aime vraiment manger, et j'attends avec plaisir l'arrivée du week-end, alors que je peux me laisser aller à tricher. »

Martha fait exactement ce qu'elle doit faire. Elle considère la perte de poids et le maintien de son poids comme un emploi. Cinq jours par semaine, elle est vraiment stricte avec elle-même. Elle mange des aliments sains et savoureux, et fait attention à ses portions, aux gras et aux glucides. Les week-ends, elle prend congé et s'amuse. Issue d'une famille allemande, elle adore les menus traditionnels de son pays, ce qui fait que le poulet n'est pas toujours son premier choix. Elle s'offre du bon pain, de la purée de pommes de terre et, bien sûr, boit occasionnellement une vodka tonic. Martha a le bec sucré. « J'aime tout ce qui est fait avec de la farine ou du sucre », dit-elle. Plus important encore, Martha aime comment elle se voit et se sent : « On ne devinerait jamais que j'ai 68 ans! » Elle aime aussi sa façon de manger.

Il faut ajouter que Martha ne fait pas d'exercice. Elle souffre d'arthrite rhumatoïde, ce qui restreint ses mouvements. L'exercice devrait pourtant faire partie intégrante de la vie de chacun. Il n'y a aucun doute que cela rend plus en forme et plus en santé, que cela aide à prévenir bien des maladies et, bien sûr, à embellir la silhouette. Par ailleurs, comme on le verra plus tard, cela ne fait pas perdre de poids, à moins d'entreprendre un programme d'entraînement d'une heure par jour. Peu de gens ont le temps ou l'énergie pour un tel programme. Cependant, il y a moyen de faire en sorte que l'activité physique contribue à faire perdre du poids, ce dont nous parlerons dans un prochain chapitre.

Admettons-le une fois pour toutes : manger, c'est amusant! Nous ne ressentons pas seulement du plaisir à nous nourrir, nous en avons aussi autour d'une table où se rassemblent nos proches, nos parents, nos amis. Si nous passions chacun de nos jours comme des Spartiates et que nous nous refusions ces joies, à quoi la vie servirait-elle? La bonne nouvelle, c'est que, tout comme Martha, vous pouvez profiter de vos « aliments plaisir » et être quand même en santé. Voyons comment.

2

Surmonter l'obésité : si vous être gros, ce n'est pas votre faute

Nous ne sommes pas faits pour être gros. Ce n'est pas ce que la nature a prévu pour nous. Mais nous ne sommes pas censés être minces comme un fil non plus. La couche de gras qui nous recouvre les os devrait ressembler davantage à un mince manteau confortable qu'à un tube gonflé, bien que les deux formes aient précisément la même fonction : préserver la vie.

Le gras emmagasine l'énergie, et l'énergie provient des aliments. Cette énergie, c'est ce qu'on appelle les calories. Ce terme vous est sans aucun doute très familier, mais rien ne vous sert de le diaboliser : car sans les calories, vous ne survivriez pas.

Lorsque vous mangez, votre corps absorbe les glucides et les gras, remplis de calories, et les propulse dans la circulation sanguine. Les glucides s'y retrouvent dans une forme de sucre appelée glucose. Dès qu'augmente le taux de glucose dans votre sang, un système de contrôle se met en marche. Le pancréas produit alors une hormone, l'insuline, qui capte le glucose et le stocke en trois endroits : le foie et les muscles, dans une forme appelée glycogène, ainsi que les cellules adipeuses, où le gras saturé que vous avez consommé se retrouve prisonnier. Pendant que les cellules adipeuses se mettent à gonfler comme de petits ballons, voilà que votre ventre, votre postérieur et vos cuisses commencent à grossir. Pourquoi votre corps vous fait-il cela? Parce que les calories sont comme du carburant pour votre moteur interne — celui-ci ne peut fonctionner sans elles.

Votre corps, c'est compréhensible, n'aime pas être en manque. Souvenez-vous du temps où les épiceries n'existaient pas, où les gens devaient chasser avec des arcs et des flèches, espérant mettre la main sur quelque chose à manger avant que la proie ne s'enfuie. Parfois on faisait bonne chasse, parfois non. À l'occasion, on rentrait bredouille plusieurs jours d'affilée. Manger était alors, littéralement, une question de tout ou rien.

L'organisme humain, très futé, a évolué de façon à emmagasiner le gras pendant les périodes d'abondance et à l'utiliser comme un carburant en des temps de vaches maigres. Voilà qui est ingénieux! Le gras est portable, efficace et sûr. Qui plus est, il peut aider à nous garder au chaud par temps froid.

C'était le passé. Le présent est bien différent. La physiologie humaine n'a pas encore saisi que nous ne dépendons plus de la chasse ou de la cueillette de noix et de fruits pendant la belle saison. En fait, avec les méthodes modernes de production et de distribution des aliments, peu de gens omettent l'un des trois repas par jour. Sans oublier toutes les collations qui s'insèrent entre-temps.

Ainsi, nous mangeons et mangeons sans cesse, et nous emmagasinons de plus en plus de gras parce que ces temps de vaches maigres qui nous permettaient d'utiliser nos réserves n'arrivent jamais. C'est très mauvais pour nous. Cela augmente les risques de subir une crise cardiaque ou un accident vasculaire cérébral, de souffrir de haute pression, de diabète, d'arthrite et de plusieurs formes de cancer. Dans notre monde, cela peut aussi faire en sorte de nous rendre moins attirants aux yeux des autres, ce qui peut avoir un impact important sur l'estime de soi. Pourquoi alors mangeons-nous autant?

Actionner l'interrupteur de la faim

Nous mangeons parce que nous avons faim. Cela vous surprend? D'une certaine façon, je ne croyais pas que vous le seriez. Mais affirmer que nous mangeons à cause de la sensation de faim ne nous en apprend pas vraiment beaucoup. Pour ce faire, nous devons creuser un peu plus. Nous devons expliquer pourquoi nous avons faim et ce qu'est exactement la faim.

Vous pensez peut-être que vous avez faim lorsque votre estomac est vide. Bel essai, mais ce n'est pas tout à fait vrai. Il est plus précis de dire que la faim est le signal que votre cerveau vous envoie lorsqu'il est temps de manger. Comment votre cerveau le sait-il? Il interprète une multitude de signaux du corps et du courant sanguin, qui causent des déséquilibres chimiques dans la partie du cerveau contrôlant l'appétit. Cela actionne une sorte de bouton, que j'appelle l'« interrupteur de la faim ». Le cerveau veut retrouver l'équilibre. Le corps et le sang veulent eux aussi retrouver l'équilibre. Cet équilibre dépend des aliments. Donc, vous mangez quelque chose et tout va pour le mieux dans le meilleur des mondes! Les muscles obtiennent l'énergie dont ils ont besoin, vous consommez exactement ce qu'il vous faut pour vous rassasier, et votre faim disparaît. Par contre, en certaines occasions, ça ne se produit pas comme ça.

QU'EST-CE QUE LA LEPTINE?

Si vous avez lu au sujet de la perte de poids, vous êtes probablement tombé sur le mot leptine. Cette hormone sécrétée par
les cellules adipeuses voyage jusqu'au cerveau en empruntant le
flot sanguin. Au cerveau, elle envoie un signal comme quoi le
corps a absorbé suffisamment d'énergie en gras et qu'il est temps
d'en brûler un peu. Le cerveau envoie ensuite le message au
corps de régulariser la situation.

La leptine a été découverte il y a une dizaine d'années par des
chercheurs de l'Université Rockefeller. Quelque deux ans plus
tard, d'autres chercheurs, ceux-là de l'Université de Géorgie, ont
montré que le signal envoyé par la leptine n'entraîne pas seulement une réduction de la taille des cellules adipeuses : il les fait
mourir, ce qui explique que les rats de laboratoire sont restés
minces longtemps après la fin de l'expérience sur l'obésité à
laquelle ils étaient soumis. Des études récentes montrent que la
leptine transforme au bout du compte les cellules adipeuses en
petites chambres à fournaise brûlant le gras avant de disparaître.

Avec la découverte de la leptine, les espoirs étaient grands
qu'on ait enfin trouvé la clé du contrôle du poids. Cependant, le
métabolisme humain a prouvé qu'il était un peu plus complexe
que celui des rats. Une médication efficace basée sur la leptine
reste donc encore à trouver.

Quand tout n'est pas parfait

Parfois, même un estomac rempli par un repas de cinq services ne signale pas cette satisfaction qui vous dit que vous en avez assez. Vous vous sentez alors si mal à l'aise que vous aimeriez déboutonner vos pantalons, même si vous avez toujours envie de manger. Que se passe-t-il?

Quelque chose ne fonctionne plus. Alors que tout devrait rechercher l'équilibre, rien ne l'atteint. Vous avez trop peu de ces substances chimiques appelées neurotransmetteurs dans votre cerveau. Tant que vous n'en fabriquerez pas suffisamment pour abaisser votre interrupteur, vous continuerez de ressentir de la faim. Et tant que vous ressentirez de la faim, il y a de bonnes chances que vous continuiez de manger.

Maintenant, le problème avec la faim n'est pas seulement qu'elle vous fait manger plus. C'est qu'elle vous fait aussi devenir plus gros, plus vite. Quand vous êtes affamé, votre système interprète ce sentiment comme le signal d'un problème à envisager. Du point de vue de votre corps, la situation peut se résumer ainsi : « Elle mange, mais je ne le ressens pas. Elle ne doit donc pas manger assez. Si elle ne mange pas assez, c'est peut-être parce qu'il n'y a pas suffisamment de nourriture dans les parages. Juste pour me protéger, je ferais mieux de porter attention à la façon dont je dépense les calories. En fait, j'aurais avantage à en mettre le plus possible de côté en vue des jours plus difficiles qui pourraient venir. »

Afin de faire cela, vous devenez très efficace dans votre façon de dépenser votre carburant, comme si vous étiez soudainement passé d'un gros véhicule sport utilitaire à une sous-compacte! Vous faites cela de plusieurs façons. D'abord, vous ralentissez votre métabolisme basal, c'est-à-dire que vous utilisez moins d'énergie pour vos fonctions vitales. Ensuite, vous stockez votre énergie dans vos cellules adipeuses plutôt que de les envoyer dans vos muscles, qui l'utiliseraient immédiatement. Cela, malheureusement, concourt à l'expansion de la taille et décourage la formation de muscles fermes. Le résultat net : plus vous avez faim quand vous mangez, plus vous êtes susceptible de gagner du poids.

Le paradoxe de la volonté

Vous pouvez constater le problème. Si vous vous lancez dans un régime réduit en calories, vous ressentirez de plus en plus la faim. Plus cela se produit souvent, plus votre corps s'adapte et emmagasine l'énergie dans des cellules adipeuses. Bien sûr, il doit en libérer éventuellement un peu, ne serait-ce que pour vous laisser vaquer à vos activités quotidiennes. Voilà pourquoi vous perdez du poids, mais peut-être pas aussi vite que vous l'auriez souhaité. Quelque chose d'autre se produit, à l'effet plus sinistre : lorsque vous perdez des kilos, ceux-ci ne représentent pas tous du gras. Quelques-uns de ces kilos — jusqu'à la moitié d'entre eux — proviennent des muscles. C'est vrai. Votre corps se cannibalise lui-même! Il considère que les cellules adipeuses sont si importantes à sa survie qu'il préfère puiser ses besoins énergétiques dans les fibres musculaires.

Les muscles, bien sûr, sont importants. Moins vous en avez, plus votre métabolisme basal fonctionne lentement et plus vous stockez d'énergie dans vos cellules adipeuses plutôt que de les brûler. Pire encore, peu de muscles signifie un détournement massif de l'insuline — remplie de glucose — vers les tissus adipeux.

L'effet de tout ça, c'est que si vous recommencez à gagner du poids après en avoir perdu, votre corps transformera ces kilos — autrefois du muscle — en gras. Votre métabolisme lent vous rendra la tâche plus difficile la prochaine fois que vous voudrez perdre du poids. Le processus prendra plus de temps, et vous ne serez peut-être plus capable de perdre autant de kilos qu'avant. Et ce mouvement de yo-yo rendra chaque fois la situation plus difficile.

D'accord, vous vous dites que vous ne laisserez pas votre corps regagner tout le poids perdu. Que vous vous disciplinerez pour respecter votre diète jusqu'à la fin de vos jours, et que ça marchera. Seulement, il y a un problème : ça ne marchera pas.

La zone de confort interne

Plus de 90 % de tous ceux qui perdent du poids grâce à une diète le regagnent, et même un peu plus, en moins de deux ans. C'est peut-être vrai que 9 personnes sur 10 sont incapables de se priver indéfiniment (et si c'est vrai, on ne peut les blâmer : qui voudrait envisager une vie entière où l'on ne pourrait pas manger ce qu'on veut?). Le fait est que, peu importe la volonté qui nous habite, plusieurs d'entre nous ont des gènes qui ne nous permettent pas de perdre beaucoup de poids. Tout le monde a des dispositions génétiques à maintenir un certain poids, et même si vous limitez votre consommation d'aliments à un niveau proche du strict minimum, votre corps deviendra à ce point performant dans l'art de se faire des réserves d'énergie que vous vous mettrez à regagner du poids quand même! Regardez la réalité en face : à un certain point, vous mangerez plus parce que votre corps n'acceptera pas les abus de votre diète. Il se défendra et fera en sorte que vous ressentiez la faim de plus en plus. En même temps que votre corps devient habile à augmenter son volume malgré le peu d'aliments que vous lui offrez, il devient de plus en plus insistant pour vous signaler qu'il a besoin de recevoir de la nourriture.

Il est important de noter que vous regagnerez à peu près votre poids d'origine, avec un petit extra. La plupart des gens ne continueront pas à gagner du poids indéfiniment. Ils atteindront une zone de confort, c'est-à-dire le poids où leur corps se sent bien et à l'abri de la famine. C'est le poids qui est inscrit dans votre thermostat interne et, une fois que vous l'atteignez, l'interrupteur de la faim s'actionne et se met hors tension. Le problème que vivent les personnes souffrant d'obésité ou d'embonpoint, c'est que cette zone de confort est fixée trop haut.

QUI EST OBÈSE?

Le mot « obèse » fait référence dans notre imaginaire à des gens si gros qu'ils ont même de la difficulté à se tenir debout. Toutefois, médicalement parlant, on peut être considéré comme obèse même si on est plus petit que ça. Une façon efficace de le déterminer, c'est de calculer votre indice de masse corporelle (IMC). Multipliez votre poids en livres par 705. Divisez ce résultat par votre taille (hauteur) en pouces, puis divisez à nouveau ce résultat par votre taille en pouces. Si votre résultat final se situe entre 25 et 27, vous souffrez d'embonpoint. Entre 27 et 30, vous êtes obèse. S'il est de plus de 30, vous avez un sérieux problème d'obésité. Cependant, si vous êtes très musclé ou âgé de plus de 70 ans ou de moins de 18 ans, ces résultats ne s'appliquent pas. Une façon plus rapide de tester l'obésité consiste simplement à mesurer votre tour de taille. Les hommes qui ont un tour de taille de plus de 40 po et les femmes qui ont un tour de taille de plus de 35 po sont considérés comme obèses et risquent plus d'être atteints de maladies cardiaques.

Maman et papa, merci pour les gènes

Plusieurs personnes ayant un surpoids sont génétiquement prédisposées à avoir une zone de confort interne élevée. Cela signifie deux choses. En premier lieu, vous avez hérité d'une tendance à avoir un excès de poids, quoique vous deviez aussi remplir certaines conditions pour satisfaire à cette tendance. Par exemple, vous devez habiter dans un endroit où les aliments sont à portée de main. En second lieu, vous êtes vulnérable à certains éléments déclencheurs dans votre environnement — des choses ou des événements qui créent des bouleversements de votre thermostat interne —, ce qui inclut le stress, des médicaments, des rages de sucre, la maladie, l'alcool, une mauvaise alimentation, des fluctuations hormonales et plus encore.

On peut constater les effets dramatiques de ces éléments déclencheurs et de ces conditions en observant des immigrants provenant de pays où l'obésité n'est pas répandue. Avant même de s'en rendre compte, ces gens se retrouvent à porter des vêtements plus grands! La situation est souvent la même : ils sont exposés à une surabondance de nourriture, en particulier le fast-food.

On constate la même chose dans d'autres pays développés qui ont importé certains éléments de notre culture. Le fast-food est accessible maintenant au Brésil, par exemple, et l'obésité y est devenue un véritable problème de santé publique. Le Brésil est pourtant un pays qui honore traditionnellement les corps minces et élancés, mais un sondage récent indique que 40 % des adultes y montrent un excès de poids, 1 sur 10 étant obèse. La zone de confort interne moyenne s'est élevée, et lorsque ça se produit, cette zone redescend rarement.

Êtes-vous un mangeur émotif?

Plusieurs personnes croient qu'elles mangent sur le coup d'un stress émotif, que les aliments soulagent la dépression ou remplissent un vide émotif. On parle même de «manger ses émotions»!

Je ne suis pas là pour leur dire qu'elles se trompent, parce que, en un sens, elles n'ont pas tort. Elles sont plutôt au fait de la situation lorsqu'elles disent que leurs rages de nourriture se produisent dans des moments difficiles, après des disputes avec un être cher, des événements traumatiques ou de profondes déceptions. Et je ne suis pas en désaccord avec l'idée que manger un litre de crème glacée paraisse calmer les tourments. Mais pourquoi choisissons-nous de manger plutôt que de faire autre chose en réaction à ce stress émotif? Pourquoi ne sommes-nous pas plutôt portés à construire un avion, à laver la voiture ou même à voler une banque?

Voici un fait intéressant : un faible taux de sérotonine dans le cerveau peut faire en sorte que vous vous sentiez dépressif. Cela peut aussi vous faire éprouver de la faim. Certains aliments, comme le sucre et les féculents, aident à restaurer le taux de sérotonine. Ramener le cerveau à son équilibre chimique est une manière de soulager la dépression. Voilà pourquoi on dit que certaines personnes mangent leurs émotions.

Par contre, sachez que vous obtiendrez les mêmes résultats en faisant une activité physique intense. Plusieurs études ont confirmé que l'exercice est aussi puissant que les médicaments pour soulager des dépressions modérées. Si vous avez le cafard, une promenade vous réconfortera autant qu'un contenant de crème glacée aux brisures de chocolat.

Si vous sentez que vous mangez beaucoup dans ces moments de crise, de stress ou de dépression, vous avez sûrement raison de penser que manger est une façon — même si ce n'est pas la plus saine de toutes — de soulager ces sombres sentiments. Toutefois, comme vous venez de l'apprendre, vous ne mangez pas parce que vous êtes déprimé. Vous mangez parce que vous avez faim.

Soyez plus futé que votre corps

Ce que le corps veut, c'est maintenir son poids dans sa zone de confort interne. Rappelons-nous que cette zone est celle où le corps se sent à l'aise de travailler sans crainte de subir une famine prochaine. Lorsque vous essayez de modifier cette zone, votre corps fait tout en son pouvoir pour vous convaincre du contraire. Si par malheur vous ne l'écoutez pas, il prend les commandes. L'évolution est puissante. Elle exerce ses volontés par le biais des gènes, et mal vous en prendrait de vouloir lui résister.

C'est pourquoi je vous dis que ce n'est pas votre faute si vous êtes gros. En fait, si vous ressemblez à la plupart des personnes aux prises avec de l'embonpoint, vous avez probablement fait preuve de plus de volonté que n'importe quelle personne mince. Vous ne me croyez pas? Additionnez tous les kilos que vous avez perdus dans votre vie, même si vous les avez regagnés par la suite. Au total, vous avez probablement perdu plusieurs fois votre poids actuel, et vous l'avez fait en vous privant et en vous disciplinant. Cela nécessite du courage et de la force morale. Malheureusement, personne ne vous a jamais dit que lorsque vous arrivez près du but, les règles du jeu changent et vous forcent à vous replier. Que devez-vous faire alors?

J'ai affirmé plus tôt que le corps humain est intelligent et veut ce qu'il veut. Je vais maintenant vous dire quelque chose de plus important encore : vous êtes plus intelligent que votre corps. Vous pouvez faire en sorte qu'il se comporte exactement selon vos souhaits. Vous pouvez le rendre plus mince et vous assurer qu'il apprécie d'être ainsi. Mais vous ne pouvez pas faire cela uniquement par la force de votre volonté. Ce serait comme vouloir remporter un duel de souque à la corde contre un éléphant en n'utilisant que votre force brute : vous n'y arriveriez jamais. Par contre, en jouant intelligemment, vous pourriez décider d'attacher votre bout de la corde à un bulldozer. Comme votre corps, les éléphants sont intelligents. Ils peuvent avoir des trucs, eux aussi. Toutefois, ils ne font pas partie de la même ligue que vous. L'idée consiste donc à déterminer comment vous servir de votre intelligence pour battre les forces de votre code génétique.

Dupez vos gènes

Votre corps dispose de deux armes puissantes : l'habilité de vous faire ressentir une faim intense et l'habilité de vous faire mourir d'ennui.

Dans la plupart des régimes amaigrissants, l'ennui frappe en premier. Pourquoi? Parce que les diètes sont conçues de façon à vous priver de certains aliments, ou alors elles sont si draconiennes dans la façon de vous obliger à mesurer vos portions que vous finissez par plonger dans une grosse assiette de spaghetti alla carbonara, celui qu'on prépare avec des œufs, de la crème et du bacon.

Qui voudrait vivre ainsi? La variété est ce qui met du piquant dans la vie! Nous sommes faits pour apprécier la diversité dans notre assiette. En moyenne, les gens qui suivent des diètes aux États-Unis résistent pendant six semaines. Dois-je en dire davantage?

Peut-être que vous ne faites pas partie de la moyenne. Il se peut que vous ayez un seuil élevé de tolérance à l'ennui, que vous fonciez tête baissée grâce à une réelle motivation issue de l'idée que vous vous faites d'une bonne santé ou de d'autres considérations esthétiques. La conséquence de cette belle volonté, c'est que le corps se met à stocker chaque calorie consommée dans ses cellules adipeuses. Mais vous pouvez opter pour une approche bien plus amusante et efficace. Vous pouvez tricher. En fait, si vous le faites correctement, tricher peut éventuellement vous permettre de perdre du poids plus rapidement.

Cela contredit probablement tout ce que vous avez déjà entendu sur la perte de poids. En fait, vous vous êtes probablement senti honteux chaque fois que vous avez avalé quelque chose que votre régime vous interdisait. Cessez de vous en faire.

L'idée est simple. Faites comme si vous preniez des vacances, ou simplement des fins de semaine loin du bureau. Si vous vous entêtez à travailler chaque heure, chaque jour, vous vous brûlerez rapidement. Vous ne serez plus bon à rien, ni pour vous-même, ni pour les autres. Votre efficacité chutera, votre vigilance tombera, et votre énergie s'effondrera. Par contre, consacrer les samedis et les dimanches à vous relaxer et à refaire le plein d'énergie fera de vous un meilleur employé chaque lundi matin. Vous serez alors frais et dispos.

Perdre du poids n'est pas différent. Si vous prenez deux jours de congé par semaine, vous remarquerez que votre diète, sur semaine, arrive mieux que jamais à vous faire maigrir. Comme nous l'avons vu plus tôt, lorsque vous mangez moins, votre corps s'ajuste rapidement en réduisant le métabolisme basal et en emmagasinant les calories plutôt que de les brûler. Vous continuez alors à perdre du poids, mais plus lentement. Éventuellement, vous atteindrez un plateau, et même si vous devenez un véritable tyran envers les besoins de votre organisme en le privant de nourriture, vous y resterez — jusqu'à ce que votre corps arrive si efficacement à stocker ses calories que vous vous mettrez de nouveau à gagner du poids.

Ce scénario peut ressembler à une mauvaise nouvelle. En fait, il renferme la solution au double problème du métabolisme lent et de l'ennui. Voici l'indice : bien que le corps s'adapte, il ne peut le faire instantanément. Cela lui prend un jour ou deux. Vous pouvez donc devancer le comportement naturel de votre corps en changeant souvent vos habitudes alimentaires. Si, les jours de semaine, vous suivez une diète qui requiert de mesurer les portions et de limiter les glucides et les matières grasses, le corps baissera lentement mais sûrement la température de ses petites fournaises servant à les brûler. Toutefois, si vous augmentez soudainement votre consommation de calories pour un jour ou deux, disons pendant le week-end, votre métabolisme gardera tous ses brûleurs en action. Il croira qu'il n'a pas besoin d'emmagasiner autant de calories et commencera à les brûler plus rapidement. En changeant à nouveau de rythme à la fin du week-end, et en coupant soudainement la quantité de calories ingurgitées, votre métabolisme sera toujours en action maximale. Votre corps devra alors utiliser du carburant stocké dans ses réserves, et ces réserves se trouvent dans les tissus adipeux !

3

Plaisirs de fin de semaine

A ttardons-nous à la meilleure partie en premier. Disons que vous venez de passer une semaine à la diète — faible en gras, en calories ou en glucides — et que vous vous levez un samedi matin. Dans un monde idéal, vous auriez deux bonnes nuits de sommeil réparateur, vous vous lèveriez tard, vous vous promèneriez paresseusement dans la maison, iriez dîner à l'extérieur et peut-être même voir un film. En réalité, malheureusement, la maison doit être nettoyée, vous devez reconduire vos enfants à leur match de soccer ou de hockey, vos parents se sont annoncés pour souper dimanche soir et vous devez tondre le gazon ou, pire, déneiger l'entrée!

Souriez. Il y a une bonne nouvelle. Le plaisir de manger vous attend! Pendant les deux prochaines journées, vous n'avez aucune restriction, aucun groupe alimentaire à privilégier, aucun choix santé à faire, et vous développez une affection particulière à l'égard de votre réfrigérateur. Un véritable conte de fées!

Votre liste pour tricher santé

Peu importe la diète que vous suivez, vous devriez tricher pendant deux jours consécutifs, chaque semaine. Limitez toutefois cette période à 36 heures, soit un jour et demi. Ainsi, vous commencerez à tricher à 9 h le samedi matin et vous terminerez le dimanche soir, à 21 h. Pendant ce temps, vous devez ajouter des calories à votre diète afin de réchauffer votre métabolisme. Il y a deux moyens faciles d'y parvenir.

Premièrement, vous pouvez simplement manger davantage de ce que vous avez mangé pendant la semaine. Si vous calculez les calories, dites-vous que vous devez ajouter 10 calories pour chaque livre que vous pesez. Par exemple, si vous pesez 100 lb, ajoutez 1 000 calories à votre alimentation. Le tableau suivant vous donne une bonne idée des calories à ajouter selon votre poids.

Votre poids (en lb)	Besoins supplémentaires en calories
100	1 000
120	1 200
140	1 400
160	1 600
180	1 800
200	2 000
220	2 200
240	2 400

La seconde façon de procéder consiste à ajouter de nouveaux ingrédients à votre menu. En fait, vous pouvez ajouter ce que vous voulez, à moins que vous ne soyez aux prises avec un problème de santé, comme le diabète ou une maladie du cœur, qui restreint vos choix alimentaires (suivez toujours les recommandations de votre médecin). Suivez cette unique règle d'or : ne vous gavez pas. Si vous êtes incapable d'arrêter de manger de la crème glacée avant d'avoir atteint le fond du pot, rayez-la de votre liste. Si vous êtes incapable de ne pas terminer un sac de croustilles, éliminez aussi cet aliment.

Autrement, soyez indulgent avec vous-même et mangez tous les aliments péchés et interdits que vous aimez. Je parle ici de pizza, de crème glacée, de beurre d'arachide, de chocolat, de vin et de tous les autres aliments « santé » que vos papilles vous recommandent ardemment. Oui, j'ai bien dit « santé ». Lorsque des gens tenteront de vous faire sentir coupable de manger ou de boire ces petits délices pendant le week-end, voilà comment vous les appellerez.

Pizza

La pizza n'a pas seulement un goût fantastique, elle est aussi très près de ce qu'on pourrait appeler un aliment miracle. Sa sauce contient la plus grande concentration de lycopène, un antioxydant puissant, de tous les plats qui arrivent dans les assiettes des Américains. De plus, le gras du fromage permet de transporter efficacement le lycopène dans votre organisme. Voici quelques-uns des bienfaits du lycopène sur votre santé :

• **Il réduit les risques de crise cardiaque et d'accident vasculaire cérébral.** La Women's Health Study de l'Université Harvard, qui a suivi 40 000 femmes au cours des 11 dernières années, rapporte que celles qui mangent au moins sept plats contenant des tomates (comme la pizza) chaque semaine ont 30 % de risques en moins d'être frappées d'une maladie cardiovasculaire.

• **Il prévient les tumeurs dans le tube digestif.** Des chercheurs de Milan, en Italie, affirment qu'une consommation régulière de pizza peut baisser du tiers les risques de cancer de la bouche. Pour ce qui est du cancer de l'œsophage, la baisse serait de 60 %, alors qu'elle se situerait à 25 % dans le cas du cancer du côlon. Dans une compilation de 79 études sur le lycopène, le *Journal of the National Cancer Institute* statue que les recherches démontrent un lien étroit entre la consommation de lycopène et une baisse des risques de cancer de l'estomac, du pancréas et du rectum.

• **Il protège la prostate.** Une bonne nouvelle pour les hommes! Une étude de la Harvard Medical School a prouvé que les hommes qui mangent, chaque semaine, au moins 10 portions de sauce tomate (sur de la pizza ou des pâtes) ou de fraises, qui contiennent également du lycopène, voient leurs risques de cancer de la prostate diminuer de 45 %. Ce taux est de 20 % pour ceux qui consomment de quatre à sept portions de ces aliments chaque semaine.

• **Il protège le système reproducteur féminin.** Une bonne nouvelle pour les femmes! Une étude publiée dans le *International Journal of Cancer* rapporte que le lycopène, sous forme de deux portions d'une demi-tasse de sauce tomate par semaine, réduit de façon significative les risques de cancer des ovaires chez la femme préménopausée. (La même étude montre que le fait de manger cinq carottes par semaine réduit aussi cette incidence.) Une autre étude menée à Harvard a évalué cette diminution à 40 %. Le *Journal of the National Cancer Institute* stipule que le lycopène aide aussi à prévenir les cancers du sein et du cou.

• **Il vous permet de respirer.** Bonne nouvelle pour les fumeurs et ex-fumeurs! La compilation du *Journal of the National Cancer Institute* rapporte aussi une forte association entre de hauts taux de lycopène dans le sang et des risques plus bas de cancer du poumon. Bien sûr, si vous voulez réduire ces risques à leur plus bas niveau, ne fumez pas!

Manifestement, vous ne devriez pas manger de la pizza chaque jour. C'est plein de gras, de sel et de calories, ce qui finira par peser lourd dans la balance. Mais comme gâterie de fin de semaine, c'est l'une des meilleures choses que vous puissiez apporter à votre organisme. Pour augmenter encore davantage ses effets positifs, faites votre propre pâte à pizza en utilisant de la farine de blé entier (ou achetez des pâtes de blé entier), ce qui ajoutera des fibres à votre repas.

Par ailleurs, ce qu'on vient de dire au sujet de la pizza est aussi vrai de pâtes arrosées de sauce tomate, même si la concentration de lycopène tend à être supérieure dans la sauce à pizza. Si vous suivez le plan du chapitre 4, vous pourrez manger de petites portions de pâtes pendant la semaine et en faire un repas complet le samedi ou le dimanche.

Vin

L'humanité laisse fermenter le raisin pour en tirer du vin depuis plus de 8 000 ans. Le vin a fait son chemin jusque dans la cuisine, la religion, la mythologie et le jeu de la séduction. On le collectionne, on en fait le commerce, on s'en sert lors de célébrations. Qui n'a jamais levé son verre pour porter un toast à la santé d'un ami? Ce n'est pas pour rien. Louis Pasteur a dit un jour : « Le vin peut être considéré comme la plus saine et la plus hygiénique des boissons. » Étude après étude, on se rend compte que c'est vrai. Le vin, en particulier les rouges issus de cépages comme le pinot noir ou le cabernet, contient de grandes quantités d'antioxydants appelés polyphénols, ainsi qu'une substance semblable aux œstrogènes, qu'on appelle resvératrol. Le resvératrol est fantastique car il possède des effets antioxydants, anticoagulants, anti-inflammatoires et anticancéreux. Voici ce que le vin peut faire pour vous :

• **Il augmente votre taux de bon cholestérol.** Des chercheurs français ont trouvé que la consommation de vin rouge n'augmente pas seulement le cholestérol HDL (lipoprotéines de haute densité), c'est-à-dire le bon cholestérol, celui qui enlève les plaques qui peuvent se former dans vos artères : il crée aussi un type de HDL contenant des particules riches en composants qui protègent le cœur.

• **Il garde votre cœur souple.** Des conditions telles que la tension artérielle élevée et l'insuffisance cardiaque peuvent faire en sorte que le cœur, un muscle, se durcisse, rendant sa tâche, qui consiste à pomper le sang, plus difficile. Le resvératrol, qu'on trouve abondamment dans le vin rouge, combat cet effet. Il prévient aussi la formation de caillots dans les artères, ce qui autrement finirait par causer une crise cardiaque, voire la mort subite du patient.

• **Il vous protège contre certains cancers.** Des médecins de l'Université de Saint-Jacques-de-Compostelle, en Espagne, ont mené des recherches qui suggèrent que le vin a des effets protecteurs contre le cancer du poumon. Des chercheurs de l'Université de Virginie en sont venus à des conclusions similaires, et plusieurs études ont démontré que le resvératrol du vin peut prévenir d'autres types de cancer.

• **Il garde votre cerveau en santé.** En 2002, Neurology, le journal scientifique de l'American Academy of Neurology, publiait une étude montrant que les buveurs de vin rouge courent moitié moins de risques que les gens qui n'en consomment pas de souffrir de diverses formes de démence, incluant la maladie d'Alzheimer. D'autres études suggèrent enfin que le vin rouge (et le raisin frais) pourrait avoir un effet protecteur contre les accidents vasculaires cérébraux.

Bien entendu, je ne saurais vous suggérer de prendre du vin si vous avez des problèmes d'alcool. Une consommation modérée d'alcool signifie généralement qu'un homme boira deux verres de vin de 150 ml (5 oz) et qu'une femme se limitera à un verre.

LE PINOT NOIR

Tous les vins rouges contiennent des antioxydants appelés polyphénols, ainsi que du resvératrol, une substance que le raisin et d'autres végétaux produisent afin de se débarrasser des champignons. Les vins blancs n'en contiennent pas parce que la peau du raisin, qui contient tous les composés nécessaires, est retirée avant que le liquide ne commence à fermenter. De plus, les vins rouges ne sont pas tous égaux en la matière. Plusieurs essais ont montré que les vins faits de pinot noir renferment la plus haute concentration de resvératrol. Selon le professeur Leroy L. Creasy, qui a dirigé pendant huit ans une étude menée sur les vins produits dans l'État de New York pour l'Université Cornell, le raisin de cépage pinot noir contient beaucoup de resvératrol parce que sa peau est mince et qu'il pousse en grappes touffues, ce qui en fait une cible intéressante pour les champignons.

Chocolat

Consommé modérément, le chocolat est l'un des plus merveilleux cadeaux que vous puissiez vous offrir. Il renferme une très grande quantité d'un antioxydant nommé flavonol et il regorge de vitamines et minéraux. En fait, c'est si bon pour la santé que les gens qui mangent du chocolat trois fois par mois vivent, en moyenne, un an de plus que les autres.

Soyez toutefois averti d'une chose. Vous obtiendrez les bénéfices du chocolat si vous en consommez du très bon, ce qui signifie qu'il doit renfermer un haut pourcentage de cacao (au moins 70 %). Cela élimine d'entrée de jeu le chocolat au lait et le chocolat blanc (qui, pour les puristes, n'est pas vraiment du chocolat). Retenez que le noir est le meilleur. Lisez la liste d'ingrédients : si le cacao ne trône pas au sommet, cherchez une autre marque. Le chocolat vous offre ces avantages :

• **Il vous assure un approvisionnement en magnésium.** Le cacao est la plus riche source naturelle de magnésium. Parmi tous ses rôles dans l'organisme humain, le magnésium assure un fonctionnement normal des muscles et des nerfs, aide à maintenir le rythme cardiaque, appuie le système immunitaire, aide à former des os solides, régule le taux de glucose sanguin et garde la pression sanguine à un bas niveau.

• **Il liquéfie votre sang.** Une étude a montré que la consommation de 25 g de cacao peut prévenir la formation de caillots sanguins, de la même façon que le fait l'aspirine. Le cacao n'a pas les effets secondaires de l'aspirine, comme les saignements gastro-intestinaux, mais ses effets ne durent pas aussi longtemps.

• **Il détruit les radicaux libres.** Les radicaux libres sont des molécules d'oxygène perdues dans le courant sanguin. Ces molécules causent l'oxydation des cellules de la même manière que l'oxygène crée de la rouille sur le métal. Combinées à des molécules de cholestérol, elles font en sorte que ce dernier se dépose en plaques à l'intérieur des artères, ce qui peut mener à des accidents vasculaires cérébraux ou à des crises cardiaques. Les antioxydants avalent ces molécules d'oxygène et les rendent anodines. Le cacao est l'un des aliments qui renferme la plus grande concentration d'antioxydants : cette concentration est près de trois fois plus élevée que celle qu'on trouve dans le thé vert, selon des chercheurs de l'Université Cornell.

• **Il contrôle votre tension artérielle.** Une étude a mis au jour le fait que les gens qui boivent du chocolat présentent une plus grande activité du protoxyde d'azote dans leur sang. Le protoxyde d'azote joue un rôle majeur dans le maintien d'une pression sanguine adéquate.

Comme d'autres aliments faits pour tricher, le chocolat a son côté plus sombre, c'est-à-dire que vous ne pouvez en manger trop, ni consommer uniquement des barres commerciales. En manger plus de 50 à 60 g (2 oz) par jour vous fera entrer dans une zone dangereuse, où dominent le sucre et le gras. De plus, la poudre de cacao contient beaucoup moins de gras et pas de sucre que le chocolat, mais elle renferme de la caféine, un excitant bien connu. Appréciez donc le chocolat pour ce qu'il est, un aliment savoureux, mais n'en abusez pas!

LE CHOCOLAT NOIR

Avant de choisir un produit de chocolat, il est non seulement important de déterminer s'il renferme beaucoup de cacao mais aussi de savoir comment ce cacao a été manipulé pour en faire du chocolat. Les processus industriels détruisent une bonne part des antioxydants de la fève de cacao. Les vrais amateurs sont au courant de tous les merveilleux choix qui s'offrent à eux en matière de chocolat, ce qui inclut une variété de chocolats artisanaux de partout dans le monde.

Beurre d'arachide

Que vous l'étendiez sur une tranche de pain avec des morceaux de banane ou de la confiture ou que vous en preniez une cuillérée à même le pot, le beurre d'arachide constitue un aliment réconfortant incomparable. Bien sûr, il contient plein de gras, mais c'est le genre de gras qui peut réduire vos risques de maladie cardiaque. Je ne voudrais pas que vous en mangiez un pot par jour, mais de petites quantités peuvent vous donner de l'énergie. Si vous êtes amateur de beurre d'arachide, ce produit peut ajouter de la qualité à votre vie. Voici d'autres bienfaits du beurre d'arachide :

• **Il vous procure de la vitamine E.** Selon une étude récente, les suppléments de vitamine E n'auraient pas l'effet escompté sur la santé. Certains scientifiques ajoutent qu'on devrait même se limiter à aller chercher cette vitamine dans nos aliments. Selon le Département de l'agriculture américain, le beurre d'arachide se classe parmi les 10 meilleures sources de vitamine E dans le régime alimentaire des Américains.

• **Il constitue un aliment complet.** En plus de son contenu en vitamine E, le beurre d'arachide est une bonne source d'acides gras monoinsaturés, de magnésium, d'acide folique, de cuivre, d'arginine et de fibres. Chacun de ces nutriments peut aider à réduire les risques de subir des maladies du cœur ou du système circulatoire. C'est aussi une bonne source de protéines. Deux cuillères à soupe de beurre d'arachide vous procurent la même quantité de protéines de haute qualité qu'une once de viande.

• **Il vous donne l'impression d'être rassasié.** Des chercheurs de l'Université Purdue ont demandé aux sujets d'une étude d'ajouter l'équivalent de 500 calories en beurre d'arachide à leur diète. Or, aucun d'entre eux n'a pris du poids. Pourquoi? Les gens se sentent rassasiés plus rapidement lorsqu'ils mangent des arachides et, par conséquent, ils sont moins portés à manger d'autres aliments.

• **Il baisse votre taux de triglycérides.** Les triglycérides sont des substances adipeuses (lipides) dans le sang et, comme le cholestérol, ils peuvent augmenter vos risques de maladie cardiaque. L'étude de l'Université Purdue a montré que manger des arachides peut faire baisser jusqu'à 24 % les taux de triglycérides.

Le beurre d'arachide, qui contient environ 200 calories par cuillère à soupe, est un aliment très concentré par rapport à une quantité égale d'arachides fraîches. C'est pourquoi la diète des tricheurs vous permet de manger des arachides sur semaine, mais réserve le beurre d'arachide aux fins de semaine. Souvenez-vous que même les « bons » gras sont mauvais si vous en consommez trop. Ne vous emballez donc pas trop avec le beurre d'arachide, même les samedis et les dimanches. Vous limiter à deux cuillères à soupe par jour est probablement une bonne idée.

LE BEURRE D'ARACHIDE

Pour être du beurre d'arachide, un produit doit renfermer au moins 90 % d'arachides, ce qui ne veut pas dire que les 10 % restants n'ont aucune importance. En fait, il s'agit là des ingrédients qui peuvent vous faire opter pour un produit ou son concurrent. Les fabricants mettent habituellement 94 % d'arachides dans leur beurre d'arachide, mais ils ajoutent du sucre pour adoucir le mélange. Il vous est permis de manger du sucre la fin de semaine, mais cela représente tout de même des calories vides. Plusieurs grandes marques renferment également des acides gras trans (de l'huile végétale partiellement hydrogénée), qui ne sont vraiment pas bons pour votre santé. Des magasins spécialisés vous proposent quant à eux des produits faits à 100 % d'arachides, alors qu'on peut trouver des beurres d'arachide bio dans certaines épiceries fines ou coopératives d'alimentation.

Brioches à la cannelle

D'accord, il faut beaucoup d'imagination pour mettre les brioches à la cannelle dans la catégorie des aliments santé. Elles contiennent beaucoup de calories sous forme de gras, de sucres et d'autres glucides. Elles contiennent par ailleurs un ingrédient étonnement bon pour vous : la cannelle. Bien sûr, ne mangez pas des brioches à la cannelle sur une base régulière, mais à l'occasion, pourquoi ne pas vous gâter un peu? Vous pouvez aussi aller chercher votre cannelle dans une tarte aux pommes, du pouding au riz ou des truffes en chocolat. Si vous voulez la saveur de la cannelle sans les gras et le sucre des brioches, vous pouvez en saupoudrer sur votre café ou votre thé. Voici ce que la cannelle peut faire pour vous :

• **Elle améliore le métabolisme du sucre dans le sang.** Une étude a montré que consommer 1,25 ml (1/4 c. à thé) de cannelle par jour pendant 20 jours — les sujets arrêtaient ensuite d'en prendre pendant 20 autres journées avant de reprendre leur routine — abaisse jusqu'à 29 % le taux de sucre dans le sang chez des diabétiques de type 2. Une plus grande quantité n'a pas un effet aussi positif. Je n'irai pas jusqu'à vous recommander de manger des brioches à la cannelle si vous êtes diabétique. Dans ce cas, vous devez suivre les recommandations de votre médecin.

• **Elle baisse votre taux de triglycérides.** Ce même groupe à l'étude a permis d'établir que la cannelle mène à des taux plus bas de lipides dans le sang. Les sujets ont constaté une baisse de 23 à 30 %. Ceux qui avaient pris le plus de cannelle (environ 8 ml ou 1 3/4 c. à thé) ont connu les améliorations les plus significatives.

• **Elle abaisse le taux de mauvais cholestérol.** La même étude a montré que des sujets ont vu leurs taux de mauvais cholestérol (LDL, pour *low density lipoproteins*) baisser de 10 à 24 %. Ces sujets prenaient au moins 5 ml (1 c. à thé) de cannelle par jour; ceux qui en prenaient moins n'ont constaté aucun changement en ce sens.

Pour ceux qui n'aiment pas le goût des brioches à la cannelle mais qui aimeraient bénéficier des bons effets de cette épice sur la santé, il existe des suppléments alimentaires en capsules.

LES BRIOCHES À LA CANNELLE

Dans un restaurant, une brioche à la cannelle moyenne contient quelque 670 cal et 34 g de gras. Il est donc de bon ton de se limiter à une portion d'une demi-brioche, et de façon occasionnelle seulement, c'est-à-dire pas tous les week-ends.

Crème glacée

Comme plusieurs aliments réconfortants, la crème glacée contient plein de gras et de sucre. Par contre, toutes les épiceries en vendent des versions « allégées ». On peut combiner la crème glacée à d'autres aliments « santé », comme des noix et du chocolat. Manger de la crème glacée vous apporte malgré tout des éléments nutritifs. Vous ne me croyez pas? Voici ce que la crème glacée fait pour vous :

• **Elle vous procure du calcium.** Une coupe de crème glacée vous donne environ 300 mg de calcium, soit l'équivalent d'un verre de lait de 250 ml (8 oz). Un produit faible en gras et en glucides vous permet de savourer une coupe entière. Par contre, si vous consommez des marques haut de gamme, n'en mangez pas plus d'une demi-tasse par jour. Notons que le calcium renforce les os, mais il fait plus encore. Il influence le gène agouti, qui aide à déterminer si les aliments consommés seront transformés en énergie ou stockés dans les cellules sous forme de gras. Les personnes qui consomment beaucoup de calcium ont tendance à brûler davantage de leurs calories, et donc à être plus minces.

• **Elle améliore l'absorption du calcium.** Si vous choisissez un produit faible en gras, vous bénéficiez d'un avantage auquel vous n'aviez peut-être pas pensé : il contient une fibre soluble appelée inuline. L'inuline donne à la crème glacée une consistance onctueuse, mais les expériences ont démontré qu'en manger augmente l'absorption du calcium. Voilà qui est particulièrement important pour les adolescentes, qui ont besoin d'absorber beaucoup de calcium mais qui n'en consomment souvent pas assez, parfois parce qu'elles sont à la diète! Si elles n'obtiennent pas assez de calcium à ce moment de leur vie, elles risquent d'autant plus de souffrir d'ostéoporose plus tard.

LA CRÈME GLACÉE

Plusieurs fabricants de crème glacée offrent maintenant d'excellents produits faibles en gras. Vous pouvez varier les plaisirs avec de la crème glacée aux brisures de chocolat, celles-ci ajoutant un peu d'antioxydants à votre dessert. Certains produits ne renferment que 120 cal, 2 g de gras et 20 g de glucides par portion.

Le gâteau sablé aux fraises

Y a-t-il un meilleur dessert que le shortcake aux fraises, garni de crème fouettée? Les pionniers américains ont créé le gâteau sablé aux fraises en imitant le pain aux fraises des autochtones. Vous pouvez maintenant cuisiner votre propre gâteau ou l'acheter à l'épicerie. Dans ce cas, assurez-vous que la liste d'ingrédients ne renferme aucun gras trans ou huile partiellement hydrogénée. Les acides gras trans sont particulièrement néfastes à la santé. Faire votre propre crème fouettée est facile, et dans ce cas vous savez ce qu'il y a dedans! Vous n'avez qu'à fouetter une demi-tasse de crème 35 % avec une demi-cuillère à thé d'édulcorant, et à y ajouter une goutte d'extrait de vanille. La crème fouettée et le gâteau ne sont pas des aliments très sains, c'est vrai, mais les fraises fraîches, elles, le sont! En plus de leur merveilleuse saveur, les fraises vous procureront d'autres bienfaits :

• **Elles font baisser la pression sanguine.** Des études démontrent que les gens qui mangent une portion de fraises (environ huit fraises) par jour voient leur pression systolique (le premier des deux chiffres dans la notation « 120/80 », par exemple) baisser de façon significative. Cela suggère que les fraises pourraient prévenir les maladies du cœur associées à l'hypertension.

• **Elles augmentent le taux d'acide folique.** L'acide folique est un nutriment important qui aide à faire baisser le taux d'homocystéine dans le sang. L'homocystéine est un acide aminé qui peut entraîner l'obturation des artères.

• **Elles ajoutent des fibres à votre régime alimentaire.** Une tasse de fraises contient 4 g de fibres alimentaires, ce qui est une bonne nouvelle pour votre cœur et vos intestins. Les fibres luttent contre le sucre dans le sang, gardent le taux de bon cholestérol haut, font baisser les triglycérides (ces particules qui transportent le gras dans le sang), préviennent l'obésité et la silhouette en forme de pomme, et réduisent le risque de certains cancers.

• **Elles vous gavent d'antioxydants.** Les fraises sont parmi les meilleures sources d'antioxydants connues. Elles renferment en particulier de l'anthocyane, un pigment qui donne au fruit sa couleur rouge. Les antioxydants constituent vos plus fidèles alliés pour combattre les maladies cardiaques et le cancer. Par contre, ce n'est pas parce qu'un aliment renferme beaucoup d'antioxydants que le corps va automatiquement les absorber. Une étude prouve cependant que les taux d'antioxydants de l'organisme augmentent de façon remarquable dans les 30 à 60 minutes suivant la consommation de fraises. C'est un signe que le système met rapidement tout en place pour en retirer les bienfaits.

Fromage

Vous pouvez cuisiner avec du fromage, en servir comme entrée à vos invités, en manger comme collation. Vous pouvez en ajouter à vos sandwiches, en saupoudrer sur vos pâtes ou en servir — peut-être avec une goutte d'un bon vinaigre balsamique — en guise de dessert. Le fromage accompagne à merveille un verre de vin. Et c'est plein, plein, plein de gras. Une seule once de cheddar contient environ 6 g de gras saturé, soit environ le tiers de ce que vous pouvez consommer chaque jour. Vous ne pouvez donc pas en manger tous les jours, mais les week-ends, pourquoi pas? En fait, le fromage peut vous procurer plusieurs bienfaits si vous en mangez modérément (deux onces, coupé en petits cubes). C'est suffisant pour permettre au fromage de donner libre cours à sa magie :

• **Le fromage vous aide à garder des dents saines.** Certaines recherches suggèrent que manger du fromage à pâte ferme pourrait protéger vos dents contre l'acide généré par la bactérie responsable de la plaque. Cela se produit en particulier lorsqu'on consomme des aliments riches en glucides.

• **Il vous permet d'absorber les nutriments.** Vous vous souvenez du lycopène de la sauce à pizza? Il n'y a qu'une façon de l'absorber, et c'est de le mettre en présence de gras. C'est pourquoi le fromage sur la pizza est si important. Vous avez besoin de gras également pour absorber l'alpha et le bêta-carotène, des nutriments qui aident à prévenir l'apparition de maladie cardiaque ou de cancer.

• **Il vous procure du calcium.** Le fromage est une excellente source de calcium. Les experts recommandent maintenant aux gens âgés de consommer au moins 1 200 mg de calcium par jour. Quant aux enfants de 9 à 18 ans, ils devraient en consommer jusqu'à 1 300 mg quotidiennement.

• **Il vous protège contre le cancer du sein.** Une étude avance qu'un apport élevé en un nutriment appelé acide linoléique à liaisons conjuguées, qu'on trouve dans le fromage et dans d'autres produits laitiers, peut réduire l'incidence de tumeurs cancéreuses au sein. On soupçonne aussi que l'acide linoléique à liaisons conjuguées, en fortes doses, pourrait aussi aider à perdre du poids, mais sa concentration dans le gras du lait n'est pas assez élevée pour engendrer cet effet.

Pain

Si vous avez déjà suivi un régime à teneur réduite en glucides, son inventeur vous a peut-être fait savoir que c'est l'amour du pain, et non de l'argent, qui est à la source de tous les maux. En fait, c'est vrai que nous aimons le pain. Alors pourquoi nous en priver? C'est la fin de semaine, et peu importe ce qu'on vous a dit au sujet des terribles effets des glucides, une tranche de pain de seigle n'est pas l'équivalent nutritionnel d'une cigarette. Ce n'est pas pour rien que le pain a été surnommé la source de vie. Alors que le pain blanc commercial peut effectivement vous faire grossir, les variétés à grains entiers ou le pumpernickel sont remplis de fibres et de vitamines essentielles. Des études ont même montré que manger de ce pain-là peut vous faire vivre plus longtemps.

Lorsque vous achetez du pain, cherchez le mot « entier » dans la liste des ingrédients afin de vous assurer que le produit renferme de bons ingrédients et pas seulement des ingrédients enrichis. Quant aux autres bienfaits du pain, en voici quelques-uns :

• **Le pain prévient les maladies cardiaques.** Deux études menées à Harvard, l'une sur 40 000 hommes travaillant dans le domaine de la santé et l'autre sur autant d'infirmières, montrent une baisse d'environ 40 % du risque de d'une maladie cardiaque chez les gens qui consomment beaucoup de fibres. C'est particulièrement vrai pour les fibres provenant des produits céréaliers, comme celles du pain. Plusieurs études suggèrent également qu'un important apport en fibres éloigne les désordres du métabolisme, une constellation de symptômes et de maladies incluant l'accumulation de gras au milieu du corps, le diabète de type 2, la pression sanguine élevée, un faible taux de bon cholestérol et un haut taux de triglycérides.

• **Il améliore la santé intestinale.** Des fibres en bonne quantité peuvent prévenir la diverticulose colique, une inflammation du gros intestin qui peut devenir très douloureuse. De plus en plus de gens éprouvent ce mal en vieillissant (le tiers des gens de plus de 45 ans et la moitié des gens de plus de 85 ans). De plus, manger du pain peut aider à prévenir et à soulager la constipation, le malaise digestif le plus commun aux États-Unis. Attention cependant : si vous augmentez votre consommation de fibres, vous devez aussi boire plus d'eau, car les fibres se gorgent d'eau et en transportent une bonne quantité hors de votre organisme.

• **Il combat les cancers hormono-dépendants.** Des études suggèrent que les grains entiers préviendraient l'apparition du cancer du côlon. Ces résultats ont engendré une controverse, car d'autres études n'ont pas corroboré leurs conclusions. Toutefois, les grains entiers ont été associés à des risques plus faibles, de 10 à 40 %, de souffrir des cancers liés à l'action d'hormones, un groupe de maladies qui comprend les cancers du sein, de la prostate et de l'utérus.

Viande

Si vous suivez un régime à teneur réduite en gras pendant la semaine, vous devez saliver à la seule idée de vous payer un steak ou une côtelette de porc! Vous avez probablement entendu dire que le bœuf est mauvais pour vous. Le porc : pis encore! Alors lisez ce qui suit. Au cours des trois dernière décennies, l'industrie a travaillé fort pour vous concocter des viandes plus maigres et renfermant moins de cholestérol. Aujourd'hui, les bonnes pièces de bœuf et de porc contiennent moins de gras qu'une cuisse de poulet sans la peau. Ces viandes sont donc très intéressantes si elles sont consommées avec modération — disons une pièce de 8 oz de viande grillée dans un restaurant un vendredi soir, ou un bon hamburger juteux cuit sur le barbecue un samedi midi. Par ailleurs, le filet de porc, une viande très maigre, peut faire partie de n'importe quel repas pris pendant la semaine. Et la viande peut vous être encore utile de bien des façons :

• **Elle vous apporte des vitamines du groupe B.** Trois onces de bœuf vous procurent 75 % de vos besoins quotidiens en vitamine B12. Vous en avez besoin entre autres pour garder vos globules rouges en santé, et pour métaboliser les gras, les protéines et les glucides.

• **Elle vous apporte du fer.** Le bœuf et le porc sont de bonnes sources de fer. Celui qu'ils contiennent est de type héminique, plus facile à absorber que les autres formes. Cela est particulièrement important pour les femmes, plusieurs d'entre elles souffrant d'une carence en fer. Rappelons que l'organisme utilise le fer pour fabriquer l'hémoglobine du sang. Il en a besoin également pour métaboliser toutes les vitamines B qu'il tire du bœuf.

• **Il peut contenir des oméga-3.** C'est vrai. Vous avez peut-être entendu dire que ces acides gras essentiels ne se trouvent que dans le saumon et les graines de lin, mais certains animaux sont maintenant nourris de fourrage contenant des doses substantielles d'acides gras oméga-3. Voilà une bonne nouvelle pour votre cœur!

• **Le porc est un véritable supplément alimentaire naturel.** Il contient en effet du magnésium, du phosphore, du potassium, du zinc, de la thiamine, de la riboflavine (dans ce cas, le porc est l'une des meilleures sources qui soient), de la niacine, ainsi que des vitamines B12 et B6.

• **La viande renferme des protéines de haute qualité.** En matière de protéines, la viande constitue la norme, et c'est à partir de cette norme que sont évaluées les autres sources protéiniques. N'importe quelle viande procure environ 7 g de protéines par once. Les protéines servent à construire et à réparer les muscles et les autres tissus, les globules rouges, les cheveux et les ongles. L'organisme s'en sert aussi pour fabriquer les hormones. Bref, vous ne pouvez vivre sans protéines, et la viande en est une excellente source.

Noix

Les noix poussent dans les arbres. Les arachides, qui poussent dans le sol, sont plutôt des légumineuses et sont exclues de ce qui suit. Nous parlons ici des amandes, des pacanes, des noix du Brésil, des noisettes, des marrons, des noix d'acajou et de tout autre fruit comestible recouvert d'une coquille, provenant d'un arbre et dont au moins 75 % des calories sont issues des matières grasses. « Comment un aliment aussi gras peut-il être bon pour la santé? », demandez-vous. C'est que la majeure partie de ces gras est monoinsaturée ou polyinsaturée, ce qui signifie que les noix ne feront pas augmenter votre taux de cholestérol. Maintenant, accordez-vous une faveur. Certaines personnes peuvent souffrir d'une hausse de pression à cause du sel. Ainsi, lorsque vous achetez des noix, choisissez celles qui n'ont pas été rôties dans l'huile avant d'être plongées dans un bain de sel. Si vous choisissez des noix « nature », vous en retirerez tous les bienfaits, dont ceux-ci :

• **Les noix regorgent de vitamines et de minéraux.** Elles sont de bonnes sources de niacine, de thiamine, d'acide folique, de sélénium, de cuivre, de phosphore et de magnésium. Elles sont aussi plus savoureuses que la plupart des multivitamines.

• **Elles vous protègent contre les radicaux libres.** Riches en antioxydants, les noix vous protègent de l'action des radicaux libres qui pourraient autrement causer des maladies cardiaques et des cancers.

• **Elles sont pleines de protéines.** Dans le monde végétal, les noix constituent l'une des meilleures sources de protéines. Une once de noix donne en effet la même quantité de protéines qu'une once de bœuf.

• **Elles font baisser le taux de mauvais cholestérol.** Des chercheurs de Toronto ont découvert que les gens qui mangeaient deux poignées d'amandes par jour pendant un mois ont vu leur taux de cholestérol LDL (le mauvais) baisser de 12 % relativement au cholestérol HDL (le bon). Dans la même étude, manger une poignée d'amandes par jour s'est traduit par une baisse de 7,8 % du cholestérol LDL. Malgré tout, soyez prudent. Deux poignées, ça représente beaucoup de noix et environ 500 calories. Si vous voulez perdre du poids, n'en mangez que le week-end et soyez sûr de prendre en considération leur haute teneur en calories.

Dans le chapitre 4, j'ai noté que les arachides sont permises du lundi au vendredi, alors que les noix ne le sont pas. C'est parce que les études démontrent que les arachides tendent à réduire l'appétit et, lorsque vous en mangez, vous coupez des calories ailleurs sans même y réfléchir. Les noix n'ont pas cet effet, et il peut devenir très difficile de vous arrêter après une seule poignée. Gardez-les donc pour la fin de semaine, vous pourrez les servir avec un bon verre de bière...

Bière

Certains d'entre vous doivent se dire que j'ai gardé le meilleur pour la fin. Les médias ont rapporté beaucoup de choses au sujet des effets bénéfiques du vin sur la santé, mais qu'en est-il de la bière? Ça donne un gros ventre. Bien entendu, si vous en avalez une caisse chaque jour, la bière vous rendra obèse. Mais si vous en prenez un ou deux verres un beau samedi ou dimanche après-midi, comme tout bon amateur de sports, ça pourrait vous aider de diverses façons :

• **La bière protège vos yeux.** La bière, en particulier les variétés plus foncées comme l'ale ou le stout, réduirait l'incidence de la cataracte, selon des tests menés en laboratoire. Les antioxydants de la bière protègent les cellules dans les yeux et se sont montrés particulièrement bénéfiques en ce domaine avec les personnes diabétiques.

• **Elle réduit les risques de subir une maladie cardiaque.** Une étude menée en laboratoire à l'Université de Scranton a montré que boire deux bières par jour pourrait couper en deux les risques de souffrir d'athérosclérose, l'accumulation de plaques dans les artères. Deux bières par jour vous procurent toutefois beaucoup de calories supplémentaires. Je ne saurais donc vous recommander cela pendant la semaine. Mais la fin de semaine, pourquoi pas?

• **Elle réduit les risques de cancer.** Une autre étude menée en laboratoire, cette fois au Japon, suggère que des composés dans la bière combattent le cancer. L'expérience a été menée sur des animaux qui ont bu de la bière plutôt que de l'eau. On a remarqué que l'ADN de leurs poumons, de leur foie et de leurs reins avait jusqu'à 85 % de dommages de moins que celle d'animaux témoins. Malheureusement, cette étude n'a utilisé que de la bière désalcoolisée. On ne peut donc affirmer sans l'ombre d'un doute que la bière contenant de l'alcool a le même effet sur des êtres humains.

Comme avec le vin — ou n'importe quel gavage alimentaire —, ne commencez pas à boire de la bière, ni même de la bière non alcoolisée, si vous éprouvez des problèmes d'alcool. J'ai entendu trop d'histoires d'horreur à propos de gens qui ont commencé avec de la « presque bière » avant d'éprouver de réels problèmes.

Bien sûr, les aliments décrits dans ce chapitre ne représentent qu'un échantillon de toutes les denrées interdites avec lesquelles vous pouvez tricher une fois le week-end arrivé. J'ai essayé de m'en tenir à des recommandations saines, à l'exception des brioches à la cannelle — après tout, personne n'est parfait! Ce qu'il faut retenir lorsqu'on choisit de tricher, c'est de le faire sans se gaver et en limitant tout de même sa consommation de gras et de sucre. Et peu importe quel aliment vous choisissez, souvenez-vous que vous trichez. Il ne vous reste qu'à l'apprécier!

40 ALIMENTS POUR TRICHER SANS SCRUPULES

Bacon

Beurre d'arachide

Bière

Biscottes faibles en gras et sans gras trans

Biscuits à la farine d'avoine

Biscuits au beurre d'arachide

Biscuits aux brisures de chocolat

Biscuits aux pacanes

Biscuits Graham

Biscuits petit-beurre

Bœuf

Bœuf salé

Brioches à la cannelle

Carrés à la guimauve (faits avec des céréales Rice Krispies)

Céréales de riz (de type Rice Krispies)

Chocolat noir

Craquelins faibles en gras et sans gras trans

Crème glacée

Croûtons

Fromage

Gâteau sablé

Gaufrettes chocolatées

Gelée instantanée sans sucre

Jambon

Lait de poule sans gras

Macarons à la noix de coco

Macarons au chocolat

Mousse au chocolat

Noix

Pain (de blé entier, de son, pumpernickel...)

Pastrami

Pizza

Pop-corn (maïs à éclater)

Porc

Pouding instantané sans sucre

Roulés aux fruits (sans sucre)

Saucisse

Sucettes glacées (toutes variétés)

Vin rouge (cabernet et pinot noir)

Yogourt glacé

4

À faire et à éviter *sur semaine*

J e suis médecin, donc je veux que vous viviez à l'aise. Il ne me
sert à rien de vous voir mourir mince! Mes patients me deman-
dent souvent si le fait de tricher la fin de semaine fonctionnera
avec leur diète, qu'elle soit faible en gras ou en glucides, à base de
pamplemousse ou autre. La réponse est oui, ce qui ne veut pas dire
que je considère toutes ces formes de régime comme bonnes pour
vous. Peu importe l'efficacité d'un régime à faire perdre du poids, ça
n'a jamais eu de sens pour moi que de pousser des gens à suivre une
diète qui ne serait pas saine.

À mon avis, les meilleures diètes à suivre sur semaine sont celles
qui se basent sur des aliments complets, en particulier les fruits et

légumes frais, les grains entiers, les légumineuses et les poissons d'eaux froides, en plus du filet de porc. Ce régime devrait être aussi très varié, car choisir à partir d'un large éventail d'aliments permet d'éviter l'ennui. Élargir ses horizons assure également une meilleure santébien plus que le simple fait d'enlever des aliments qui ne seraient pas tout à fait sains pour vous.

Selon une étude récente, dans laquelle on a observé les habitudes alimentaires de 5 000 Français, hommes et femmes, on a découvert que ces derniers consomment des aliments contenant un total plus important de gras, de gras saturé et de cholestérol que les Américains. En fait, à peu près toutes les Françaises tirent plus de 10 % de leurs calories du gras saturé. Pourtant, elles sont en moyenne bien plus minces que les Américaines et montrent une incidence moins élevée de maladies cardiaques. Ce qui fait la différence, c'est la variété dans leur alimentation. Les conclusions de cette étude m'ont donc fait comprendre que ce que vous ajoutez dans votre assiette est bien plus important que ce que vous en retirez.

Tricher avec les autres régimes

Manger des aliments variés, y compris des denrées saines, est difficile dans un monde où on est constamment tenté par des mets frits et des sucreries. Parfois, se priver d'une classe entière d'aliments semble donc plus facile que de se limiter à une consommation modérée de ceux-ci, un peu comme un alcoolique doit cesser toute consommation d'alcool. C'est pourquoi plusieurs se jettent sur des méthodes populaires comme les régimes faibles en glucides et, avant tout, les diètes faibles en matières grasses.

Bien que les avantages de ces méthodes en matière de santé aient été chaudement débattus, il n'y a aucun doute qu'elles mènent à une perte de poids. En fait, deux récentes études réexaminées dans le bulletin de santé de l'Université Harvard ont démontré de façon décisive qu'après un an, les personnes qui se sont engagées dans l'une ou l'autre de ces diètes s'en sortaient aussi bien les unes que les autres en ce qui concerne la perte de poids. Ainsi, s'il vous prend de suivre l'une ou l'autre de ces diètes, vous devriez continuer à perdre du poids si vous trichez pendant les fins de semaine. Cela vous fera même peut-être perdre encore plus de poids.

Bien que vous puissiez perdre du poids en suivant une diète faible en gras ou en glucides, pourquoi feriez-vous une chose pareille? Le fait est que vous ne pouvez vivre sans glucides ou sans gras, car votre corps a besoin de ces substances pour fonctionner. Les glucides et les gras ne sont pas vos ennemis, et tenter de les éliminer vous laissera aux prises avec un menu des plus monotones.

La diète des tricheurs reconnaît que certains des principes de ces diètes sont fort intéressants. Notamment, vous gagnerez à manger moins de sucre, de sirop, de farine blanche et d'huile partiellement hydrogénée. Vous pouvez manger certains de ces aliments pendant les fins de semaine (toutefois, je vous recommande fortement d'éliminer à jamais les huiles partiellement hydrogénées), mais vous devriez être très strict les jours de semaine et les laisser de côté. Lisez les étiquettes. Si vous voyez la présence de sirop de maïs, de fructose ou du mot « hydrogéné » dans la liste des ingrédients, laissez ces aliments de côté et choisissez-en d'autres.

Trois règles devraient s'appliquer à toute bouchée que vous prenez les jours de semaine : l'aliment doit être nutritif, délicieux, et il doit vous permettre de perdre du poids. Au-delà de ces règles de base, vous devez prendre trois repas par jour, chacun composé d'aliments complets et entrecoupés de petites collations. Je sais que certaines diètes vous invitent à prendre cinq ou six petits repas par jour, ce qui aiderait votre corps à garder stable votre taux de glucose sanguin et à freiner votre appétit. Pour la plupart des gens, toutefois, prendre autant de temps pour manger n'est pas réaliste, en particulier si vous travaillez de jour ou si vous avez des enfants. Optez plutôt pour trois repas par jour et laissez-vous le loisir de prendre une collation sur le pouce si vous sentez la faim monter en vous.

Le contrôle des portions rendu facile

Contrôler ses portions est important. Il y a quelques façons de le faire et de limiter ses apports de nourriture à des quantités raisonnables sans pour autant compter toutes les calories. La première consiste simplement à diviser votre assiette en quartiers : un pour les protéines, un pour les légumes ou les fruits et un pour les glucides complexes, comme des pâtes de semoule de blé dur ou de blé entier, de l'igname (un tubercule qu'on confond avec la patate douce), des lentilles, des légumineuses, du riz brun et du germe de blé. Vous pouvez vivre sans pain, sans riz blanc et sans pommes de terre pendant la semaine. Les glucides vous donneront un surplus d'énergie, mais si vous êtes âgé de 40 ans et plus, votre corps ne sera pas capable de la dépenser. Vous pourriez donc remplacer ces glucides par une autre portion de légumes. De la même façon, laissez le dernier quartier de votre assiette vide, ou mettez-y des légumes. (J'y vais fort avec les légumes, pensez-vous?)

L'autre façon de mesurer les portions d'un coup d'œil consiste à les comparer à des objets familiers. Une portion (1 tasse) de légumes cuits est de la taille de votre poing. Un fruit moyen est gros comme une balle de baseball. Une portion (1/2 tasse) de pâtes, de riz ou de pommes de terre ressemble à une boule de crème glacée. Une portion de protéines (3 oz) se compare à un jeu de cartes ou à la paume de votre main. (Bien entendu, les joueurs de basket-ball doivent y aller doucement avec cette dernière observation.)

Il y a aussi certaines choses à faire et à éviter afin de garder vos plats faibles en féculents et en gras saturés, tout en les rendant riches en fibres, en bons gras monoinsaturés, polyinsaturés et oméga-3, en glucides complexes et en protéines.

À ne pas faire

Sur semaine, il y a des aliments que vous devez éviter :

• **Le sucre.** Il a l'air si pur et innocent, et il a si bon goût. Mais il n'y a pas deux façons de le considérer : manger du sucre — que ce soit sous forme de sucre de table (sucrose), sucre de maïs (fructose) ou miel — vous fera gagner du poids. Non seulement ce surpoids touchera votre ventre, vos fesses et vos cuisses, mais le corps le brûlera en premier plutôt que d'utiliser d'abord ses réserves de graisses. Comme si ce n'était pas assez, à partir d'une série de réactions complexes dans le corps et le cerveau, la consommation de sucre engendre la faim et la soif. Ceci est particulièrement vrai de boissons sucrées, ce qui inclut les boissons à base de fruits et les jus. Les boissons gazeuses sont les pires, et les colas sont les pires des pires. Il est donc sage de les éviter, tout comme vous devriez éviter les biscuits, gâteaux, beignes et bonbons. Lisez les emballages des produits. Si l'un des ingrédients est du sirop de maïs, ne mangez pas cet aliment. En fait, tant de formes de sucre sont ajoutées aux aliments fabriqués industriellement qu'il est préférable de les éliminer et de s'en tenir à des produits frais et sains quand vous le pouvez.

• **Le pain.** Le pain, en particulier le pain blanc, dilate votre tour de taille. Désolé. Je sais que vous ne souhaitiez pas entendre cela. Si vous suivez un régime à faible teneur en glucides, le pain vous manque assurément. Vous en brûlez même d'envie. Malheureusement, il se décompose rapidement dans l'intestin et tourne alors en sucre, ce qui le conduit tout droit vers les réserves de graisse. Une étude de l'Université Tufts réalisée auprès de 459 hommes et femmes a montré ceci : après avoir mesuré leur tour de taille, on a constaté que celui-ci avait augmenté cinq fois plus chez les gros mangeurs de pain blanc. Il y a quand même de bonnes nouvelles. Les pains faits de grains entiers sont délicieux et bons pour vous.

Vous vous en permettrez donc sûrement quelques tranches... en fin de semaine. La plupart des pains commerciaux contiennent du sucre. Soyez donc vigilant en lisant la liste d'ingrédients. Soit dit en passant, n'essayez pas de vous en tirer sur semaine en mangeant des bretzels, des muffins, des bagels ou des desserts. Vous savez mieux que personne ce qu'il faut faire...

APS : VOS PIRES ENNEMIS

Retenez ces initiales, APS :

A pour alcool. Ne buvez de l'alcool que les samedis et les dimanches, et limitez-vous à un ou deux verres de vin. Nous savons qu'une consommation modérée d'alcool est bénéfique pour la santé mais, si vous êtes obèse, brûler vos réserves adipeuses est encore plus important. Boire de l'alcool — n'importe quel type d'alcool — pendant la semaine fera en sorte que perdre du poids sera encore plus difficile.

P pour pain. Encore une fois, toutes les sortes de pain tendent à faciliter le gain de poids. Si vous n'en pouvez plus de vous passer du pain pendant la semaine, optez pour des tortillas de blé entier.

S pour sucre. Le sucre vous fait grossir, peu importe qu'il s'agisse de sucrose, de sirop de maïs ou de fructose. Notez que dans une liste d'ingrédients, tous les mots se terminant par « -ose » constituent des sucres cachés. Les boissons gazeuses et les jus de fruits sont parmi les pires aliments en matière de sucre.

• **Le gras saturé.** Certaines des diètes les plus populaires vous laissent consommer tout le gras que vous voulez. Il y a aussi des preuves accablantes que ces diètes à haute teneur en gras saturés entraînent des maladies cardiaques, des cancers et des accidents vasculaires cérébraux, trois des plus grands tueurs en Amérique. Certaines personnes sont toutefois prêtes à courir ces risques parce que — remerciez-en tous les gourous qui ont imaginé ces diètes — elles semblent croire que manger des gras saturés est nécessaire afin de perdre du poids. Leur argument se base sur l'idée, vraie, que les gras saturés procurent un sentiment de satiété durable. Mais on peut obtenir ce même effet en consommant de bons gras. Qui plus est, les gras saturés, présents dans la viande rouge, les fromages à pâte ferme, le beurre et le saindoux, ne sont pas seulement mauvais. Ils sont parfois très mauvais lorsqu'ils s'accompagnent d'huiles hydrogénées ou partiellement hydrogénées. Évitez tout aliment dont une de ces huiles se trouve parmi les trois premiers ingrédients. En particulier, sur semaine, évitez le beurre, l'huile de palme, le bœuf gras (sauf la surlonge), les fromages non allégés, le fast-food, le poulet frit, le poisson frit, les desserts frits, les frites, les muffins, les craquelins, le pop-corn allant au micro-ondes (s'il contient des mauvais gras) et le café crème. En fait, vous feriez bien de ne manger aucun de ces aliments. Essayez d'y résister. Les beignes, biscuits, gâteaux, tartes et leurs semblables présentent une double menace : ils sont pleins de gras saturés et de sucre. Souvenez-vous enfin que les gras trans et saturés ne proviennent pas tous du règne animal. Certains sont issus des plantes. Ne vous laissez donc pas berner par des prétentions de restaurateurs qui affirment ne cuire leurs mets qu'à l'huile végétale. Vous n'êtes pas né d'hier, après tout.

• **L'alcool.** Il y a assurément des bienfaits liés à une consommation modérée d'alcool, mais la perte de poids n'en fait pas partie. La bière, le vin et les spiritueux renferment beaucoup de calories, mais il existe un problème plus sérieux encore : le corps brûle d'abord l'alcool avant de s'attaquer aux réserves adipeuses. En d'autres termes, lorsque vous mangez et buvez, vous utilisez l'alcool en guise de carburant et stockez le reste des aliments. Le corps agit de la même façon avec le sucre. Aussi, comme ça se produit avec le sucre, l'alcool peut vous faire ressentir la faim, et bien des gens associent psychologiquement ce sentiment à des aliments comme les croustilles ou les bretzels. Mon avis? Gardez tout ça pour la fin de semaine.

MOINS DE CALORIES, PLUS LONGUE VIE ?

Longtemps, les scientifiques ont soupçonné que le fait de couper du tiers (soit à environ 1 500) le nombre de calories quotidiennes permettrait de ralentir le processus de vieillissement et d'augmenter l'espérance de vie moyenne. Cela fonctionne de cette façon pour les levures, les vers de terre, les mouches du vinaigre et, a-t-on appris plus récemment, pour les primates aussi. Pour les humains qui ont déjà adopté un régime alimentaire réduit en calories, cela représente certes une bonne nouvelle. Parmi les autres bénéfices, ce régime à 1 500 cal pourrait réduire, voire renverser, les dommages cellulaires dus au vieillissement, protéger contre certains cancers et aider à régulariser le taux d'insuline dans le sang.

Une alimentation correctement équilibrée, toutefois, est d'une extrême importance pour quiconque coupe ses calories à ce point. Si ce genre de vie vous intéresse et que vous souhaitez vous y frotter, vous avez d'abord besoin de transformer votre régime alimentaire quotidien en y incluant une grande quantité de fruits et légumes frais, de même que des grains entiers. Vous pouvez y ajouter du poisson deux fois par semaine et, à l'occasion, un filet de porc très maigre. Une fois que vous aurez suivi ce régime pendant six mois, vous pourrez graduellement diminuer la quantité de nourriture à manger chaque jour. Soyez toutefois averti qu'il ne s'agit pas là d'une diète avec laquelle on peut tricher : il s'agit beaucoup plus d'un choix santé que d'une façon rapide de perdre du poids.

À faire

Laissons de côté ce qu'il ne faut pas faire et passons aux aliments que vous pouvez manger. C'est bien plus amusant.

• **Les protéines.** Vous devriez prendre un minimum de trois portions de protéines par jour. Il n'y a pas vraiment de maximum : votre corps vous fera savoir quand il en aura assez. Ce sera quand vous n'aurez plus faim. Le corps utilise les protéines pour construire et réparer ses tissus, ainsi que pour permettre un fonctionnement normal du métabolisme. Les protéines sont également efficaces contre les « rages de bouffe ». Plusieurs de mes patients se plaignent en effet de ces rages qui surviennent en fin d'après-midi, après un dîner pauvre en protéines. La même situation se produit en soirée après un souper pauvre en protéines. Je crois d'ailleurs qu'une collation protéinée en soirée préviendrait les réveils affamés aux petites heures du matin. Les protéines de haute qualité, comme celles qui sont énumérées à la fin de ce paragraphe, sont les meilleures. Elles contiennent de la leucine, un acide aminé nécessaire au contrôle de l'appétit et au métabolisme. Dans leur quête visant à consommer des aliments sains, plusieurs de mes patients absorbent trop peu de protéines de façon chronique. Dans ce cas, je les somme d'agir autrement. Voici quelques-unes des meilleures sources de protéines :

- Haricots noirs
- Poulet
- Palourdes
- Morue
- Crabe
- Œufs frais
- Aiglefin

- Homard
- Fromages faibles en gras
- Produits laitiers faibles en gras
- Mahi-mahi
- Arachides
- Haricots pinto
- Filet de porc
- Haricots rouges
- Saumon
- Sardines
- Pétoncles
- Crevettes
- Surlonge
- Lait écrémé
- Petits haricots rouges
- Sole
- Tilapia
- Thon
- Dinde
- Bacon de dinde
- Saucisse de dinde

• **Le saumon,** le thon et les sardines. Ces aliments sont riches en bons gras, c'est-à-dire celui qui prévient les maladies cardiaques. Achetez du poisson frais (non issu de pisciculture) et évitez le thon blanc de type « albacore » ou « germon », qui contient des concentrations élevées de mercure.

ALIMENTS QUATRE ÉTOILES : LE MEILLEUR DES MEILLEURS

Essayez d'incorporer au moins un de ces aliments à votre alimentation quotidienne.

Poivrons

Petits fruits (toutes les sortes)

Brocoli

Saumon en boîte (rose ou sockeye)

Saumon frais (de l'Atlantique, chinook ou sockeye)

Ail

Chou frisé vert

Oignons

Sauce à pizza

Épinards (cuits)

Tomates

Ketchup aux tomates

Purée de tomate

Salsa aux tomates

Sauce tomate

Germe de blé

• **Les poitrines de dinde et de poulet.** Sans la peau, ce sont les volailles les plus maigres que vous pouvez choisir. Et parlant de volaille, les œufs sont aussi un excellent aliment. Ils ont mauvaise réputation parce que leur jaune contient du cholestérol, mais il n'y a aucune preuve que les œufs fassent monter le taux de cholestérol. Vous pouvez manger un ou deux œufs chaque jour. Vous devriez bien sûr laisser tomber le bacon et les saucisses de porc ou de bœuf qui vont habituellement avec, mais vous pouvez les remplacer par des produits faits de dinde, qui contiennent moins de gras et sauront satisfaire votre palais.

• **Les arachides.** Elles composent une excellente collation, mais limitez votre consommation à une poignée par jour. Elles contiennent de bons gras et, en fait, font partie d'une stratégie efficace visant à perdre du poids.

• **Le yogourt.** Choisissez des variétés nature, sans gras. Pour un goût plus doux, vous pouvez y ajouter un édulcorant ou un fruit frais. Des recherches suggèrent que manger trois portions de yogourt faible en gras chaque jour augmente la perte de poids jusqu'à 22 %, et cette perte de poids aurait des effets principalement dans la région du tronc. La même règle s'applique à tous les produits laitiers, riches en protéines : choisissez les produits sans gras.

• **Les fruits et légumes.** L'un des gages de qualité d'une diète santé consiste en l'incorporation à son alimentation d'une grande variété de fruits et légumes. Les végétaux regorgent de nutriments tels que les vitamines, minéraux et composés phytochimiques, tout en contenant très peu de calories. Les légumes vert foncé sont souvent présentés comme étant les plus sains, mais en fait tout légume coloré — rouge, jaune, orange, pourpre, vert, etc. — vous invite à l'inclure dans votre menu. C'est d'ailleurs ces couleurs brillantes qui renferment la plupart des antioxydants des fruits et légumes.

LA STRATÉGIE « SALADE »

Vingt minutes avant votre plat principal, avalez une salade contenant du thon, du saumon ou du poulet, ainsi que du fromage mozzarella et une vinaigrette faibles en gras. Cela coupera votre appétit pour le plat principal et vous aidera à retarder la prochaine apparition de la faim. La tomate est le meilleur légume à y incorporer. Son lycopène est associé à des risques significativement moins élevés de cancer. C'est par ailleurs un des légumes qu'il est préférable de consommer avec une source de gras, afin de favoriser l'absorption de ses nutriments. Ajoutez-y donc quelques tranches de mozzarella et arrosez le tout d'huile d'olive.

C'est une bonne idée de manger une portion de fruit ou de légume toutes les deux ou trois heures. Faire cela plutôt que de manger des aliments à faible valeur nutritive peut vous aider à perdre une livre par semaine. Voici d'ailleurs une liste de quelques-uns des fruits et légumes les plus nutritifs :

- Artichaut
- Asperges
- Aubergine
- Avocat
- Bette à carde
- Bleuets
- Brocoli
- Carottes
- Céleri
- Cerises
- Champignons
- Chou frisé
- Chou vert
- Chou-fleur
- Choux de Bruxelles
- Citron
- Compote de pommes (non sucrée)
- Courgette
- Épinards
- Feuilles de moutarde
- Fraises
- Framboises
- Grenade
- Laitue
- Melon d'eau
- Oignon

- Orange
- Pamplemousse
- Patate douce et igname
- Piments jalapeños
- Pissenlits
- Pois
- Poivron
- Pomme
- Prune
- Radis
- Raifort
- Tangerine
- Tomate

Vous devriez manger au moins trois portions de fruits par jour. Par ailleurs, les pommes, riches en fibres, constituent un excellent allié dans votre combat contre les matières grasses. Manger une pomme de grosseur moyenne 30 minutes avant chaque repas peut être un moyen efficace d'apaiser votre appétit et d'accroître votre perte de poids. Des études affirment que manger du pamplemousse trois fois par jour peut aussi aider à perdre du poids. Je n'endosse pas la vieille idée du régime à base de pamplemousses, qui ne saurait être très sain. Par contre, je dis que manger du pamplemousse dans le cadre d'un régime alimentaire sain et équilibré est une bonne idée.

Les petits fruits, les prunes, pruneaux et pommes contiennent tous des composés chimiques efficaces dans la lutte contre le cancer et les maladies du cœur. Les laits et yogourts fouettés (*smoothies*) faits de vrais fruits ainsi que le yogourt sans gras non sucré constituent d'excellentes collations. Les fruits frais et congelés demeurent les meilleurs, mais vous pouvez manger des fruits en conserve si on n'y a pas ajouté du sucre. Dans le cas des jus de fruits, pressez-les vous-même et sucrez-les avec un édulcorant.

Quelques fruits devraient être consommés seulement la fin de semaine à cause de leur contenu élevé en sucre. Il s'agit notamment des ananas, des bananes, des cantaloups et du raisin.

Quant aux légumes, ils sont bons frais, congelés ou en boîte. La cuisson à la vapeur est une excellente façon de les préparer. Une méthode très saine consiste à arroser les légumes d'huile d'olive pour les cuire et d'y saupoudrer un substitut de sel riche en potassium. Sur semaine, oubliez le maïs, et souvenez-vous que celui-ci donne deux très mauvais sucres, soit le sirop de maïs et le fructose.

Vous devriez consommer au moins quatre portions de légumes chaque jour, mais vous pouvez en manger plus si ça vous dit. Vous pouvez en manger entre les repas ou alors vous pouvez doubler la quantité de légumes et ainsi remplir la quatrième section (laissée vide) de votre assiette si vous ne voulez pas vous passer de votre apport en glucides.

Faites en sorte que les fruits et légumes fassent partie de votre mode de vie, pas seulement de votre diète. Les patates douces et les ignames sont excellentes. Les pâtes arrosées de sauce tomate sont faibles en gras et se révèlent de rudes adversaires du cancer. Ne vous en faites pas au sujet des glucides que renferment vos pâtes. La semoule de blé dur ne se transforme pas en gras de la même façon que la farine blanche dans votre organisme. Vous pouvez donc apprécier vos pâtes avec un peu d'huile d'olive et de sauce tomate, mais rappelez-vous que votre portion ne devrait remplir que le quart de votre assiette.

LE REPAS PARFAIT

De quoi serait fait un repas parfait? Un tenant des régimes faibles en glucides dira une chose, tandis qu'un gourou des diètes sans gras affirmera son contraire. Des scientifiques des Pays-Bas, toutefois, ont récemment fait des observations sur ce qui pourrait constituer le meilleur repas pour la santé cardiovasculaire. Ils l'ont appelé le « repas polyvalent ». Il comprend du vin rouge, un poisson d'eaux froides comme le saumon ou le thon, du chocolat noir, des fruits, des légumes, de l'ail et des amandes. Les chercheurs estiment que si vous mangez ce genre de choses tous les jours (et du poisson de deux à quatre fois par semaine), vous réduirez jusqu'à 75 % vos risques de subir une maladie cardiaque. Pour perdre du poids, je vous recommande de garder le vin, le chocolat et les amandes pour la fin de semaine, mais le reste de ce régime est parfait les jours de semaine.

• **Les gras**. Les gras ne sont pas tous égaux. Certains sont bons, d'autres le sont beaucoup moins, surtout consommés en excès. Les moins bons viennent de produits issus du règne animal, comme la viande, le beurre et le saindoux. Ce sont des gras saturés, qui se présentent sous une forme solide à température ambiante. En consommer exige un travail supplémentaire de votre foie, responsable du métabolisme des lipides, des glucides et des protéines. Il en résulte une accumulation de cholestérol qui peut mener à des maladies cardiaques, à des accidents vasculaires cérébraux et à des cancers. À mon avis, ils font partie de trop de programmes alimentaires, mais ils ne devraient pas faire partie du vôtre — du moins du lundi au vendredi. Vous pouvez en consommer avec modération pendant les fins de semaine, parce qu'ils peuvent avoir un effet bénéfique — pour maintenir le niveau minimum de gras corporel dont vous avez besoin en guise d'isolant et comme carburant lors d'exercices physiques soutenus. Mais les bons gras font la même chose pour vous, et de façon plus salutaire.

Les bons gras sont classés en deux groupes : les monoinsaturés et les polyinsaturés. Les gras monoinsaturés sont liquides à température ambiante, mais ils durcissent au réfrigérateur. Les gras polyinsaturés demeurent liquides même à de basses températures. Les bons gras peuvent réduire les risques de maladies et aident au métabolisme et à la perte de poids.

Parfois, les bons gras se présentent en compagnie de protéines comme dans le saumon, le thon et les sardines. Ces poissons sont très riches en un gras polyinsaturé appelé oméga-3, lequel est excellent pour la santé et pour perdre du poids. Les arachides, riches en gras monoinsaturés, sont riches elles aussi en protéines et font une bonne collation. Des études montrent qu'une ou deux poignées d'arachides par jour peuvent aider à perdre du poids.

Les autres bons gras sont des solitaires. Le meilleur d'entre eux, c'est l'huile d'olive. Servez-vous-en pour cuisiner, mettez-en sur les légumes, dans les salades et usez-en de n'importe quelle autre façon, selon vos goûts. L'huile d'olive extra-vierge est un peu plus chère, mais elle goûte meilleur.

L'huile d'olive est un aliment phare de la diète méditerranéenne, similaire à celle présentée dans ce livre. Une étude menée à Harvard a montré que les femmes qui suivent un régime de type méditerranéen perdent 15 fois plus de poids que celles qui se contentent d'un simple régime à faible teneur en matières grasses. C'est 15 fois plus de poids perdu en mangeant plus de gras, mais de bons gras. Dans le régime méditerranéen, 38 % des calories — c'est énorme — proviennent des matières grasses, mais seulement sous la forme d'arachides, de poissons et d'huile d'olive. Autre bénéfice, les personnes qui suivent ce genre de diète sont plus susceptibles d'y rester fidèles.

Un excès de gras saturé augmente le stockage du gras corporel, en particulier dans la région du ventre, et des études récentes ont montré que cela laisse la place aux accumulations adipeuses autour des organes internes. Les bons gras brûlent quant à eux plus facilement, réduisent l'appétit, et se substituent aux mauvais gras dans le régime alimentaire.

L'huile de canola est un autre bon choix pour cuisiner, mais elle n'est pas aussi savoureuse que l'huile d'olive. L'huile de noix de coco est un bon choix si elle n'est pas hydrogénée. Aux États-Unis, il existe une huile appelée Enova, faite notamment de diglycérides, qui a aidé des patients à perdre jusqu'à 48 % de plus de gras corporel que les gens utilisant des huiles ordinaires. L'huile de lin contient quant à elle des oméga-3 et est un bon choix malgré sa saveur prononcée.

Faites attention de ne pas ambitionner sur le pain bénit! Les gras, même les bons, demeurent des gras. Qu'ils soient bons ou mauvais, ils sont très calorifiques, et en consommer trop ira à l'encontre d'un bon programme visant à perdre du poids. Un morceau de poisson ou deux cuillères à soupe d'huile d'olive par jour suffisent amplement.

LES ACIDES GRAS OMÉGA-3 : LE GRAS PEUT-IL VRAIMENT ÊTRE BON POUR VOUS?

Les Inuits qui continuent de se nourrir selon des méthodes ancestrales mangent tant de gras qu'ils devraient crouler sous les maladies. Ce n'est pourtant pas ce qui se produit. En fait, ils subissent moins de conditions dégénératives telles que les maladies coronariennes, l'arthrite rhumatoïde, le diabète sucré et le psoriasis que les Occidentaux qui suivent le régime alimentaire typique. Le secret réside dans les acides gras oméga-3 qu'ils consomment, le type de gras qu'on trouve dans les poissons d'eaux froides, les phoques et les baleines. Ces gras réduisent l'inflammation, préviennent les caillots sanguins et semblent particulièrement sains pour le cœur. Le corps utilise les gras pour construire les membranes de ses cellules, et les oméga-3 produisent les membranes les plus efficaces. Les gras saturés, eux, rendent ces membranes beaucoup plus rigides. L'un des effets touche directement le cœur, qui a alors plus de mal à ralentir son rythme et à tomber en phase de repos. Les acides gras oméga-3 sont de trois types : ceux qu'on trouve dans le poisson sont appelés acides eicosapentanoïques (EPA) et docosahexanoïques (DHA), alors que ceux des graines de lin et les légumes vert foncé sont les acides alphalinoléniques (ALA). Le corps ne fabrique pas ses propres oméga-3, mais il possède des enzymes qui peuvent convertir les ALA en EPA.

• **Les collations.** Les collations sont importantes. Elles permettent à votre taux de glucose sanguin de rester stable toute la journée, elles combattent la faim et les rages de bouffe, en même temps qu'elles vous procurent la satisfaction psychologique de mâcher et d'avaler quelque chose. Pour une bonne collation, je vous recommande en premier lieu des fruits et légumes frais. Les arachides sont bonnes elles aussi, mais n'en mangez pas plus de deux poignées par jour. Vous pouvez aussi vous permettre une sucette glacée sans gras de style fudge, un pouding non sucré ou une tasse de chocolat au lait écrémé, sucré avec un édulcorant. Limitez-vous alors à une seule portion. Vous pouvez aussi essayer le yogourt fouetté protéiné du Dr Paul (voir la recette à la page 119).

EN RÉSUMÉ

Voici ce que je vous recommande pour les jours de semaine :

- Trois portions d'aliments protéiniques par jour.

- Des protéines provenant de produits laitiers chaque jour (méfiez-vous du fromage cottage, car votre organisme le considère comme un glucide).

- De trois à sept portions de légumes ou de fruits par jour (gardez cantaloup, raisin, ananas, banane et maïs, riches en sucre, pour la fin de semaine).

- De bons gras, ce qui inclut des poissons d'eaux froides.

- Un peu d'huile d'olive versée sur vos aliments.

- Les pâtes et le riz brun sont de bons glucides, tout comme les patates douces et les ignames. Deux petites portions par jour suffisent.

- Lors de vos collations, surveillez vos portions.

Vous savez tout maintenant. Ayez du plaisir! Bon appétit! Et souvenez-vous que le week-end sera à votre porte avant même que vous vous en rendiez compte.

DES ALIMENTS TROIS ÉTOILES

Voici quelques choix judicieux à l'heure des repas. Dans le cas des condiments et des sauces, fiez-vous à la portion indiquée sur le contenant pour la quantité. Employez juste assez de condiments, de trempettes et de sauces pour donner du goût à vos aliments. Pour ce qui est du fromage en tranches, mangez-en trois ou quatre tranches par jour. Tous les légumes font partie de cette liste, et n'oubliez pas qu'il existe plusieurs légumes quatre étoiles. Souvenez-vous également qu'il faut manger un des aliments de la liste des quatre étoiles chaque jour. Vous pouvez même vous limiter à cette liste si vous préférez. Mais pour plus de variété, pigez dans les aliments trois étoiles de temps à autre. Par ailleurs, aucun de ces aliments ne devrait être consommé jour après jour. Variez vos choix. Après tout, il y en a pour tous les goûts.

Œufs

Œufs frais
Substitut d'œuf (sans cholestérol)

Viandes

Bœuf et porc maigres
Saucisses fumées faibles en sel et en gras
Saucisson de Bologne faible en sel et en gras

Lait et substituts

Boisson de soya
Colorant (non laitier) à café sans gras
Fromage à la crème faible en gras
Fromage fondu faible en gras
Lait écrémé
Mayonnaise sans gras
Mozzarella faible en gras
Préparation de crème fouettée sans gras ou faible en gras
Ricotta
Yogourt sans gras

Volailles

Dinde (en particulier la poitrine)
Poulet sans la peau (viande blanche de préférence)
Saucisses fumées
Pastrami de dinde

Poissons

Hareng
Maquereau

Perche de mer

Poissons blancs maigres

Sardines

Sardines en boîte (enlevez l'huile ou choisissez un produit sans huile)

Thon (toutes variétés)

Truite

Soupes et bouillons

Bortsch

Bouillon de bœuf

Bouillon de légumes

Soupe poulet et nouilles

Condiments

Cornichons à l'aneth

Ketchup

Moutarde

Moutarde au miel

Relish (limite d'une cuillère à soupe)

Sauce à pizza

Sauce à steak

Sauce à taco

Sauce chili

Sauce soya

Sauce Worcestershire

Toutes les épices

Toutes les herbes

Trempettes, sauces et sauces à salade

Salsa

Sauce Alfredo

Sauces à salade faibles en gras

Sauces pour pâtes (à base de tomates)

Vinaigrettes faibles en gras (et en sucre!)

5

Menus pour deux semaines

Maintenant que vous connaissez les principes de base d'une bonne alimentation et que vous avez des listes d'aliments de référence, c'est le temps de passer à la planification. D'après mon expérience, il est plus facile de suivre un régime lorsque les restrictions sont inscrites sur papier. Moins vous aurez de décisions à prendre pendant la semaine, moins vous aurez tendance à faire de mauvais choix!

Pour vous aider, j'ai formulé des exemples de menus pour 10 jours. Ils ne sont pas immuables. Vous pouvez les modifier à votre guise ou vous inventer vos propres menus, en autant que vous restiez fidèle aux aliments mentionnés et que vous évitiez sucre, pain, alcool et gras saturés.

Vous pouvez manger deux ou trois portions de légumes à tous les repas si vous le désirez, et vous pouvez ajouter une demi-tasse de grains entiers également à tous les repas.

Sentez-vous libre de remplacer ma collation préférée de fruits et de noix par une portion de ce que vous voulez, en autant que ces aliments ne contiennent pas de sucre, de pain, d'alcool ou de gras saturés. L'idée, c'est de manger une variété d'aliments sains. Également, souvenez-vous qu'une portion de la plupart des aliments (à moins d'indication contraire) remplit le quart de votre assiette.

Lundi – jour 1

Déjeuner

Deux œufs (dans la poêle, utilisez un antiadhésif de type PAM)
Une orange moyenne ou un demi-pamplemousse
Café ou thé (avec ou sans édulcorant ou lait écrémé)

Dîner

125 g (4 oz) de thon (dans l'eau, en boîte) sur un pain pita
ou une tortilla de blé entier. Mélanger avec de l'huile
d'olive ou une mayonnaise sans gras, de la moutarde ou
du jus de citron, avec sel et poivre.
Tomate et laitue
Une portion d'un autre légume
Thé glacé « diète » ou eau parfumée d'une tranche de
citron et sucrée avec un édulcorant

Collation

Une poignée d'arachides (fraîches, rôties à sec, sans sel ni
huile ajoutés)

Souper

Lanières de poitrine de poulet grillées sans la peau
Brocoli et poivrons cuits à la vapeur
Riz sauvage

Collation

Une tasse de chocolat chaud, sucré avec un édulcorant

Mardi – jour 2

Déjeuner

Un contenant de yogourt nature faible en gras (vous pouvez
y ajouter un édulcorant)
125 ml (1/2 tasse) de bleuets ou de fraises
Café ou thé (avec ou sans édulcorant ou lait écrémé)

Dîner

Les restes des lanières de poulet de la veille, servis sur une
salade verte avec de l'huile d'olive et du vinaigre ou une
mayonnaise sans gras
Une portion de fruit
Deux biscuits

Collation

Un yogourt fouetté du Dr. Paul (voir page 119)

Souper

Un morceau d'espadon aux olives (voir page 96)
Chou-fleur en sauce à la ciboulette (voir page 117)
Une portion de couscous de grains entiers

Collation

250 ml (1 tasse) de fraises

Mercredi – jour 3

Déjeuner

Une portion de gruau à la cannelle (avec ou sans édulcorant)
250 ml (8 oz) de jus d'orange non sucré (frais ou congelé)
Café ou thé (avec ou sans édulcorant ou lait écrémé)

Dîner

Lanières de poitrine de dinde dans une tortilla, avec mayonnaise sans gras ou moutarde, tomate et oignon
Une portion de légume
Une pomme

Collation

Une sucette glacée de type fudge, faible en gras

Souper

Deux saucisses de dinde ou de poulet
Pâtes de blé entier (de préférence) avec sauce tomate rapide (voir page 106)
Salade du jardin avec huile et vinaigre

Collation

250 ml (1 tasse) de cerises fraîches

Jeudi – jour 4

Déjeuner

Un yogourt fouetté du Dr Paul (voir page 119)
Pancakes d'asperges (voir page 109)

Dîner

Salade verte avec du poulet, du saumon ou les restes de
    l'espadon du mardi soir
Sauce à salade faible en gras, sans sucre, ou huile et vinaigre
Une portion de yogourt faible en gras

Collation

Une barre de gruau à la crème pâtissière (voir page 107)

Souper

Une côtelette de porc aux pommes et à l'oignon
    (voir page 98)
Ignames (ou patates douces)
Chou vert ou chou vert frisé

Collation

Une tranche de melon d'eau

Vendredi – jour 5

Déjeuner
Bacon ou bacon de dinde
Deux œufs (dans la poêle, utilisez un antiadhésif de type PAM)
Café ou thé (avec ou sans édulcorant ou lait écrémé)

Dîner
Tacos, avec poisson, poulet ou dinde (voir page 103)
Une orange, une tangerine ou un demi-pamplemousse
Un légume au choix
Un contenant de yogourt nature sans gras (vous pouvez y
    ajouter un édulcorant)

Collation
Une sucette glacée de type fudge, faible en gras

Souper
Poisson aux légumes (voir page 92)
Salade du jardin avec une mayonnaise faible en gras, ou de
    l'huile d'olive et du vinaigre
Riz sauvage

Collation
Une nectarine

Lundi – jour 6

Déjeuner

Frittata à la courge spaghetti (voir page 105)
125 ml (1/2 tasse) de petits fruits
Café ou thé (avec ou sans édulcorant ou lait écrémé)

Dîner

Salade de dinde et de riz (voir page 101)
Un fruit au choix
Un demi-verre de lait écrémé

Collation

Une poignée d'arachides

Souper

Poitrine de poulet rôtie
Brocoli
Patates douces

Collation

Une portion de fruit

Mardi – jour 7

Déjeuner

Une omelette faite avec deux œufs et un légume ou du fromage faible en gras
Un demi-pamplemousse
Café ou thé (avec ou sans édulcorant ou lait écrémé)

Dîner

Omelette espagnole (voir page 110)
Pomme ou poire

Collation

Une barre protéinée faible en glucides

Souper

Deux ou trois Sloppy Joe à la dinde (voir page 115) dans des tacos, avec fromage mozzarella léger, salsa, laitue et olives
Une portion de riz brun

Collation

Un pouding sans sucre, faible en gras

Mercredi – jour 8

Déjeuner

125 ml (1/2 tasse) de céréales riches en fibres
125 ml (1/2 tasse) de petits fruits
Café ou thé (avec ou sans édulcorant ou lait écrémé)

Dîner

Salade de poulet faite des restes du poulet grillé, mélangé
　　avec de la mayonnaise faible en gras, 5 ml (1 c. à thé)
　　de vinaigre, 2,5 ml (1/2 c. à thé) d'édulcorant, des dés
　　de céleri et d'oignon
Pomme ou poire

Collation

Un contenant de yogourt nature faible en gras (vous pouvez
　　y ajouter un édulcorant)

Souper

Une côtelette de porc
Riz sauvage
Poivron vert ou jaune

Collation

125 ml (1/2 tasse) de framboises servies dans 125 ml (1/2
　　tasse) de lait écrémé

Jeudi – jour 9

Déjeuner

Œufs brouillés et fromage suisse
Café ou thé (avec ou sans édulcorant ou lait écrémé)

Dîner

Tranches de poitrine de dinde dans une tortilla, avec de la
    mayonnaise sans gras ou de la moutarde
Une prune

Collation

Un yogourt fouetté du Dr Paul (voir page 119)

Souper

Saumon dans une marinade lime et citron (voir page 95)
Haricots verts et pignons (voir page 118)

Collation

Une sucette glacée de type fudge, faible en gras

Vendredi – jour 10

Déjeuner
Gruau
Petits fruits
Yogourt sans gras

Dîner
Tacos de saumon (faire la recette de tacos au poisson de la
page 103 et prenez les restes du saumon à la marinade
lime et citron)

Collation
Une barre de gruau à la crème pâtissière (voir page 107)

Souper
Brochettes de crevettes grillées avec oignons, poivrons et
champignons
Quinoa

Collation
Une pêche

6

Recettes pour les jours de semaine

Poisson aux légumes

1 poivron vert
1 poivron rouge
250 ml (1 tasse) de radis
2 tomates
1 oignon vert (pas trop de vert)
675 g (1 1/2 lb) de filets de poisson (n'importe quelle sorte fera l'affaire,
    dont l'aiglefin)
1 ml (1/4 c. à thé) de sel
1 ml (1/4 c. à thé) de poivre frais moulu
125 ml (1/2 tasse) de bouillon de poulet ou de fumet de poisson
1 ml (1/4 c. à thé) de paprika
15 ml (1 c. à soupe) de persil frais, haché

Préchauffer le four à 180 °C (350 °F).
Couper tous les légumes de la même taille, de sorte qu'ils prennent tous le
    même temps à cuire.
Vaporiser un plat allant au four avec un antiadhésif de type PAM.
Placer la moitié des légumes dans le fond du plat.
Assaisonner le poisson avec le sel et le poivre, puis le placer sur les légumes.
Couvrir le poisson avec le reste des légumes.
Verser le fumet ou le bouillon, le persil et le paprika sur le tout.
Cuire 20 minutes ou jusqu'à ce que le poisson se détache en flocons.

4 portions.

Aiglefin au lait concentré

900 g (2 lb) de filets d'aiglefin
1 petit oignon rouge émincé
1 grosse boîte de tomates en dés
1 boîte de lait concentré léger
Sel et poivre au goût
45 ml (3 c. à soupe) de persil frais haché

Préchauffer le four à 190 °C (375 °F).
Vaporiser un plat allant au four avec un antiadhésif de type PAM.
Déposer les filets d'aiglefin au fond du plat et couvrir d'oignon.
Verser les tomates.
Verser le lait concentré sur le poisson.
Assaisonner de sel, de poivre et de persil.
Cuire 15 minutes ou jusqu'à ce que le poisson se détache en flocons.

6 portions.

Moules au vin blanc

2,5 kg (6 lb) de moules dans leur coquille, nettoyées
750 ml (3 tasses) de vin blanc
750 ml (3 tasses) de fumet de fruits de mer
45 ml (3 c. à soupe) de persil frais, haché

Porter le vin à ébullition.
Ajouter les moules et réduire le feu.
Laisser frémir jusqu'à ce que les moules ouvrent, soit environ 5 minutes.
Servir les moules dans un bol et y verser le fumet.
Garnir de persil.

6 portions.

Saumon dans une marinade lime et citron

900 g (2 lb) de filets de saumon
60 ml (1/4 tasse) de jus de citron
60 ml (1/4 tasse) de jus de lime
5 ml (1 c. à thé) de moutarde de Dijon
45 ml (3 c. à soupe) d'huile d'olive
Sel et poivre du moulin, au goût
15 ml (1 c. à soupe) de paprika
45 ml (3 c. à soupe) de persil frais, haché
15 ml (1 c. à soupe) d'huile d'olive parfumée à l'ail

Mélanger les jus de citron et de lime, la moutarde de Dijon et l'huile d'olive.
Déposer le saumon dans un plat et y verser la marinade.
Laisser reposer 30 minutes. Tourner les filets après 15 minutes.
Retirer le poisson. Le saler et le poivrer.
Vaporiser un plat allant au four avec un antiadhésif de type PAM. Y déposer
    le saumon.
À l'aide d'un pinceau, badigeonner d'huile parfumée à l'ail.
Griller pendant 10 minutes ou jusqu'à ce que le poisson se détache en flocons.

6 portions.

Espadon aux olives

900 g (2 lb) d'espadon en tranches
1 grosse boîte d'olives noires dénoyautées, tranchées
45 ml (3 c. à soupe) de jus de citron
60 ml (1/4 tasse) de persil frais, haché
60 ml (1/4 tasse) d'huile d'olive parfumée à l'ail
Sel et poivre du moulin au goût

Mélanger les olives, l'huile d'olive, le sel, le poivre, le persil et le jus de citron.

Vaporiser un plat allant au four avec un antiadhésif de type PAM. Y déposer les tranches d'espadon.

Badigeonner le poisson avec le liquide seulement du mélange d'olives. Griller au four pendant 10 minutes ou jusqu'à ce que le poisson se détache en flocons.

Répandre le mélange d'olives sur le poisson cuit et replacer dans le four, éteint, simplement pour réchauffer le tout.

6 portions.

Steaks de thon aux tomates

4 steaks de thon
Sel et poivre du moulin, au goût
Jus de 1 citron
1 petite boîte de tomates en dés assaisonnées
15 ml (1 c. à soupe) d'huile d'olive

Préchauffer le four à 200 °C (400 °F).
Saler et poivrer le thon.
Arroser de jus de citron.
Chauffer une poêle et y verser l'huile d'olive.
Saisir le thon des deux côtés. Ajouter la boîte de tomates, puis placer la poêle au four.
Cuire 7 minutes pour un thon bleu, 10 minutes pour un thon médium ou 12 minutes pour un thon bien cuit.

De 4 à 6 portions.

Côtelettes de porc
aux pommes et à l'oignon

4 côtelettes de filet de porc
45 ml (3 c. à soupe) de moutarde de Dijon
Sel et poivre du moulin, au goût
15 ml (1 c. à soupe) d'huile d'olive
2 petites pommes, pelées, épépinées et coupées finement
4 oignons verts émincés
45 ml (3 c. à soupe) de persil frais, haché
1 ml (1/4 c. à thé) d'assaisonnement pour volaille

Préchauffer le gril du four.
À l'aide d'un pinceau, badigeonner les côtelettes des deux côtés avec la moutarde.
Griller des deux côtés jusqu'à ce que les côtelettes soient brunies.
Dans une poêle à frire antiadhésive, chauffer l'huile d'olive et y verser pommes, oignons et assaisonnements.
Cuire en remuant à l'occasion, jusqu'à ce que les pommes soient tendres.
Servir les côtelettes en les garnissant de pommes.

4 portions.

Rôti de porc aux abricots

900 g (2 lb) de rôti de porc de milieu de longe, sans os
Sel et poivre du moulin, au goût
30 ml (2 c. à soupe) d'huile d'olive
1 gousse d'ail
2 pêches moyennes ou 4 abricots pelés, dénoyautés et tranchés
125 ml (1/2 tasse) de vin blanc
125 ml (1/2 tasse) de tartinade à l'abricot (sucrée avec un édulcorant)
15 ml (1 c. à soupe) de n'importe quelle sauce piquante
15 ml (1 c. à soupe) de sauce Worcestershire

Préchauffer le four à 200 °C (400 °F).
Déposer le porc sur une plaque de cuisson laissant écouler le jus.
À l'aide d'un pinceau, le badigeonner d'huile d'olive.
Assaisonner de sel et de poivre.
Rôtir de 25 à 30 minutes.
Préparer la glace en combinant le reste des ingrédients dans une casserole et en portant le tout à ébullition. Réduire le feu et laisser frémir jusqu'à ce que la sauce épaississe.
Garnir le rôti de la glace, puis remettre au four afin de terminer l'opération (environ 5 minutes).

6 portions.

Poulet citron-lime

4 poitrines de poulet, sans os ni peau
45 ml (3 c. à soupe) de jus de citron
45 ml (3 c. à soupe) de jus de lime
45 ml (3 c. à soupe) de persil frais haché
2 gousses d'ail émincées
1 ml (1/4 c. à thé) de sel d'oignon
15 ml (1 c. à soupe) de gingembre frais, râpé
125 ml (1/2 tasse) de bouillon de poulet
Poivre du moulin, au goût
Bouquets de persil

Combiner les jus de citron et de lime, les assaisonnements et le bouillon de
    poulet. Plonger le poulet dans ce mélange afin de bien l'humecter. Couvrir
    et réfrigérer au moins une heure. Retourner les poitrines au moins une fois.
Préchauffer le four à 200 °C (400 °F).
Cuire les poitrines pendant 10 minutes, réduire le feu à 160 °C (325 °F) et
    cuire encore de 15 à 20 minutes, jusqu'à ce que le poulet soit bien cuit.
Garnir de tranches de lime et de bouquets de persil.

4 portions.

Salade de dinde et de riz

225 g (8 oz) de dinde cuite sans la peau, coupée en dés
250 ml (1 tasse) de riz brun cuit, refroidi
125 ml (1/2 tasse) de dés de céleri
1/4 de poivron vert
1/4 de poivron rouge
30 ml (2 c. à soupe) d'oignon vert émincé
15 ml (1 c. à soupe) de mayonnaise faible en gras
15 ml (1 c. à soupe) de persil frais, haché
15 ml (1 c. à soupe) de yogourt nature faible en gras
15 ml (1 c. à soupe) de jus de citron
2 ml (1/2 c. à thé) de moutarde de Dijon
Sel et poivre du moulin, au goût
1 ml (1/4 c. à thé) de poudre d'ail
Laitue

Mélanger la dinde, le riz, le céleri, l'oignon et les poivrons.
Bien touiller avec la mayonnaise, le persil, le yogourt, le jus de citron, la mou-
    tarde, le sel, le poivre et la poudre d'ail.
Couvrir et réfrigérer.
Mélanger à nouveau avant de servir.
Servir sur une laitue au choix.

4 portions. Se garde au réfrigérateur pendant 4 jours.

Salade de dinde à l'orientale

150 g (6 oz) de poitrine de dinde cuite, coupée
1 litre (4 tasses) de bouquets de brocoli, légèrement cuits
1 petite boîte de tomates en dés
45 ml (3 c. à soupe) d'oignon vert émincé
30 ml (2 c. à soupe) d'huile de sésame
15 ml (1 c. à soupe) d'huile d'olive
15 ml (1 c. à soupe) de sauce soya
15 ml (1 c. à soupe) de vin blanc
15 ml (1 c. à soupe) de racine de gingembre émincée
Mesclun printanier

Combiner la dinde, le brocoli, les tomates et les oignons.
Dans un contenant hermétique, verser les autres ingrédients. Refermer le couvercle et agiter vigoureusement.
Déposer le mélange de dinde sur du mesclun.
Verser dessus la vinaigrette.

2 portions. Se garde au réfrigérateur pendant 4 jours.

Tacos de poisson, de poulet ou de dinde

10 ml (2 c. à thé) d'huile d'olive
60 ml (1/4 tasse) d'oignon rouge émincé
1 gousse d'ail émincée
250 ml (1 tasse) de tomates en dés
250 ml (1 tasse) de sauce tomate
1 trait de sel, de poivre du moulin, de sauce piquante et de persil
100 g (4 oz) de thon ou de saumon égoutté, de poulet ou de dinde cuit
2 tacos
125 ml (1/2 tasse) de laitue
50 g (2 oz) de fromage cheddar faible en gras, râpé

Chauffer l'huile dans une casserole.
Y faire tomber l'oignon et l'ail pendant environ 5 minutes.
Ajouter les tomates, la sauce tomate et les assaisonnements.
Cuire pendant 5 minutes en remuant à l'occasion.
Y ajouter la source de protéines choisie et laisser réchauffer.
Remplir chaque taco de la moitié du mélange, puis ajouter la moitié
    du fromage et de la laitue.

2 portions.

Œufs brouillés et saumon fumé

2 gros œufs
15 ml (1 c. à soupe) de lait concentré léger
Aneth ou basilic frais haché, au goût
Sel et poivre du moulin, au goût
30 ml (2 c. à soupe) d'huile d'olive
25 g (1 oz) de fromage à la crème faible en gras
15 à 25 g (1/2 à 1 oz) de saumon fumé
6 à 8 tranches de concombre, tranchées en diagonale
Lime ou citron frais, pour son jus
1 pincée de paprika

Fouetter les œufs avec le lait.

Ajouter l'aneth ou le basilic, le sel et le poivre.

Chauffer l'huile dans une poêle.

Verser les œufs et les brouiller à feu moyen en remuant constamment. Une fois les œufs à moitié cuits, ajouter le fromage à la crème et terminer la cuisson.

Ajouter des flocons de saumon fumé à la toute fin et éteindre le feu (les œufs devraient être humides). Servir avec des tranches de concombre, en arrosant de jus de citron ou de lime à même le fruit et en saupoudrant une pincée de paprika.

1 portion.

Frittata à la courge spaghetti

250 ml (1 tasse) de chair de courge spaghetti cuite
4 œufs légèrement battus
45 ml (3 c. à soupe) de persil italien frais, haché
15 ml (1 c. à soupe) de parmesan râpé
125 ml (1/2 tasse) d'oignon rouge finement haché
1 gousse d'ail émincée
2 ml (1/2 c. à thé) de sel
2 ml (1/2 c. à thé) de poivre
0,5 ml (1/8 c. à thé) de poivre de Cayenne
15 ml (1 c. à soupe) d'huile d'olive

Préchauffer le gril du four.
Combiner tous les ingrédients sauf l'huile dans un grand bol.
Chauffer l'huile dans une poêle.
Verser le mélange dans la poêle et cuire à feu doux de 12 à 15 minutes.
Transférer sous le gril pour 2 ou 3 minutes ou jusqu'à ce que le tout commence à brunir.

6 portions.

Sauce tomate rapide

30 ml (2 c. à soupe) d'huile d'olive
125 ml (1/2 tasse) d'oignon haché
1/2 gousse d'ail émincée
500 ml (2 tasses) de tomates en boîte égouttées
2 ml (1/2 c. à thé) d'origan frais
2 ml (1/2 c. à thé) de basilic frais
2 ml (1/2 c. à thé) d'édulcorant

Chauffer l'huile d'olive.
Ajouter l'oignon et faire tomber environ 4 minutes. Réserver.
Dans une petite casserole, combiner les tomates et les assaisonnements, et cuire à feu moyen pendant 10 minutes. Ajouter l'oignon et cuire encore 5 minutes.
Servir sur des pâtes de blé entier ou sur du poisson, du poulet ou de la chair de courge spaghetti.

2 portions.

Barres de gruau à la crème pâtissière

675 ml (2 3/4 tasses) d'eau
250 ml (1 tasse) de flocons d'avoine non cuits
2 œufs
60 ml (1/4 tasse) d'édulcorant
335 ml (1 1/3 tasse) de lait écrémé
1 ml (1/4 c. à thé) d'extrait de vanille
0,5 ml (1/8 c. à thé) de sel
85 ml (1/3 tasse) de fruits séchés, au choix
2 ml (1/2 c. à thé) de cannelle
Huile végétale

Préchauffer le four à 180 °C (350 °F).
Porter l'eau à ébullition et y verser les flocons d'avoine. Porter de nouveau à ébullition, puis réduire le feu et laisser bouillir. Cuire à découvert environ 1 minute en remuant (ou respecter les consignes sur l'emballage). Retirer du feu. Couvrir et réserver.
Dans un grand bol, mélanger les œufs, l'édulcorant, l'extrait de vanille, le lait et le sel.
Ajouter les flocons d'avoine cuits, les fruits séchés et la cannelle aux œufs. Bien mélanger.
Verser le mélange dans un moule carré de 20 cm (8 po) huilé. Placer ce moule dans un plus grand plat contenant de l'eau chaude.
Cuire environ 1 heure. Laisser refroidir, puis couper en barres.

4 portions.

Œufs brouillés au fromage suisse

5 ml (1 c. à thé) d'huile d'olive
2 œufs
1 petit poivron rouge en dés
1 petit poivron vert en dés
1 oignon vert émincé
25 g (1 oz) de fromage suisse faible en gras
Poivre noir
1 pincée de sel
1 trait de sauce piquante

Chauffer l'huile dans une poêle antiadhésive.
Verser les poivrons et cuire 2 minutes.
Couper le fromage en petits morceaux. Dans un bol, le mélanger aux œufs, à
    l'oignon vert, au sel, au poivre et à la sauce piquante.
Verser le mélange dans la poêle et brasser avec une fourchette pendant 2 minutes.

1 portion.

Pancakes d'asperges

4 à 6 pointes d'asperges cuites
4 œufs
Sel et poivre du moulin, au goût
5 ml (1 c. à thé) de sauce piquante
5 ml (1 c. à thé) d'huile d'olive

Mettre tous les ingrédients dans un mélangeur, actionner à haute vitesse afin d'obtenir une consistance onctueuse et crémeuse, soit pendant 2 ou 3 minutes.

Verser de l'huile dans une poêle. Verser un peu du mélange, cuire des deux côtés (on peut aussi faire griller au four).

Servir chaud.

2 portions.

Omelette espagnole

1 petit oignon rouge
1/2 poivron vert haché
1/2 poivron rouge haché
2 branches de céleri en dés
4 œufs, blancs et jaunes séparés
5 ml (1 c. à thé) de sel
1 petite boîte de tomates, égouttées
125 ml (1/2 tasse) de lait écrémé en poudre
15 ml (1 c. à soupe) d'huile d'olive
15 ml (1 c. à soupe) de poivre du moulin
15 ml (1 c. à soupe) de persil frais, haché
15 ml (1 c. à soupe) d'origan séché

Préchauffer le four à 180 °C (350 °F).
Combiner l'oignon, les poivrons et le céleri.
Cuire dans une petite quantité d'eau bouillante. Égoutter.
Ajouter aux jaunes d'œufs le sel, les tomates et le lait en poudre. Fouetter.
Battre les blancs en neige.
Verser les blancs en neige sur les jaunes d'œufs et incorporer les légumes
    cuits.
Chauffer l'huile dans une grande poêle.
Verser le mélange. Assaisonner.
Cuire à feu doux jusqu'à ce que le dessous de l'omelette commence à brunir
    (environ 10 minutes).
Enfourner de 10 à 15 minutes. Plier l'omelette en deux pour la sortir de la
    poêle et la déposer dans une assiette chaude.

6 portions.

Sauté d'épinards et de chou

1/2 chou vert de taille moyenne
1/2 chou rouge de taille moyenne
5 ml (1 c. à thé) de sel
2 ml (1/2 c. à thé) d'édulcorant
250 g (10 oz) d'épinards
15 ml (1 c. à soupe) d'huile d'olive

Trancher grossièrement les choux. Dans un grand chaudron ou dans un wok, verser l'huile d'olive et ajouter le chou, le sel et l'édulcorant. Cuire à feu vif en remuant fréquemment jusqu'à ce que le chou soit tendre.
Ajouter les épinards et cuire encore 1 minute en brassant.

4 portions.

Aubergine grillée

1 gousse d'ail émincée
2 oignons verts émincés
2 ml (1/2 c. à thé) de sel
Poivre du moulin, au goût
60 ml (1/4 tasse) d'huile d'olive
1 aubergine moyenne

Mélanger l'ail, les oignons verts, le sel, le poivre et l'huile.

Peler l'aubergine et la couper en tranches de 1 cm (1/2 po) d'épaisseur.

Placer les tranches d'aubergine sur une plaque de cuisson vaporisée d'un enduit antiadhésif de type PAM.

Badigeonner la surface des tranches d'aubergine avec le mélange à l'huile d'olive.

Griller à environ 12 po (5 po) de l'élément au moins 5 minutes.

Tourner les tranches, badigeonner d'huile.

Griller à nouveau, environ 2 minutes.

Servir nature ou avec de la sauce tomate.

De 2 à 4 portions.

Endives braisées

8 endives
Jus de 1/2 citron
60 ml (1/4 tasse) d'huile d'olive parfumée à l'ail
5 ml (1 c. à thé) de sel
Poivre du moulin, au goût
125 ml (1/2 tasse) de bouillon de poulet
5 ml (1 c. à thé) d'édulcorant
15 ml (1 c. à soupe) d'huile d'olive

Nettoyer les endives et enlever les feuilles fanées.
Dans une grande poêle, déposer les feuilles d'endives en une couche.
Verser le jus de citron, l'huile d'olive, le bouillon de poulet et l'édulcorant.
Couvrir et porter à ébullition. Cuire à feu modéré de 25 à 30 minutes, jusqu'à
  ce que les endives soient tendres.
Retirer et égoutter.
Chauffer 15 ml (1 c. à soupe) d'huile d'olive dans la poêle et brunir les endives
  de tous les côtés. Elles arboreront une belle couleur caramel.

4 portions.

Poivrons farcis à la dinde

675 g (1 1/2 lb) de dinde hachée
1 œuf battu
4 à 6 poivrons de taille moyenne (rouges, verts ou jaunes)
Sel et poivre du moulin, au goût
45 ml (3 c. à soupe) de persil frais, haché
5 ml (1 c. à thé) de poudre d'oignon
5 ml (1 c. à thé) de cumin
5 ml (1 c. à thé) de poudre d'ail
750 ml (3 tasses) de sauce tomate

Couper le dessus des poivrons, enlever les graines, faire cuire à demi dans l'eau bouillante jusqu'à ce qu'ils soient ramollis. Égoutter.
Préchauffer le four à 200 °C (400 °F).
Mélanger tous les autres ingrédients.
Remplir les poivrons à la cuillère.
Dans un plat huilé allant au four, verser la moitié de la sauce tomate. Déposer les poivrons farcis, puis verser sur les poivrons le reste de la sauce.
Cuire 45 minutes.

De 4 à 6 portions.

Sloppy Joe à la dinde

675 g (1 1/2 lb) de dinde hachée
1 oignon rouge moyen, haché
1 petit poivron vert haché
1 petit poivron rouge haché
60 ml (1/4 tasse) de relish, sucrée avec un édulcorant
175 ml (3/4 tasse) de ketchup
15 ml (1 c. à soupe) de poudre de chili
5 ml (1 c. à thé) de poudre d'ail
5 ml (1 c. à thé) de cumin
5 ml (1 c. à thé) de paprika
60 ml (1/4 tasse) de bouillon de poulet
15 ml (1 c. à soupe) d'huile d'olive

Dans une grande poêle, chauffer l'huile à feu moyen.
Verser l'oignon et les poivrons. Cuire 5 minutes.
Ajouter la dinde et cuire jusqu'à ce que la viande soit à point.
Égoutter l'excédent de gras.
Ajouter le reste des ingrédients et porter à ébullition.
Réduire à feu doux et laisser frémir 30 minutes.

De 6 à 8 portions.

Ratatouille de prunes

15 ml (1 c. à soupe) d'huile d'olive
1 grosse aubergine, en dés
3 courgettes moyennes, en dés
1 oignon rouge moyen, haché
1 grosse boîte de tomates en dés
4 prunes fraîches en quartiers
1 gousse d'ail émincée
10 ml (2 c. à thé) de basilic séché
7 ml (1 1/2 c. à thé) d'origan séché
Sel et poivre du moulin, au goût
Jus de 1 citron

Chauffer l'huile à feu moyen.

Cuire l'aubergine, la courgette et l'oignon pendant 15 minutes, ou jusqu'à ce qu'ils soient tendres. Remuer à l'occasion.

Ajouter les autres ingrédients, sauf le jus de citron. Réduire à feu doux. Couvrir et cuire environ 5 minutes, ou jusqu'à ce que les prunes soient tendres, en remuant de temps en temps.

Servir avec un filet de jus de citron.

De 4 à 6 portions.

Chou-fleur en sauce à la ciboulette

Bouquets de 1 chou-fleur, coupés à la base
375 ml (1 1/2 tasse) de yogourt nature faible en gras
30 ml (2 c. à soupe) de ciboulette fraîche, hachée
5 ml (1 c. à thé) de moutarde sèche

Cuire les bouquets de chou-fleur à la vapeur de 7 à 10 minutes, ou jusqu'à ce
    qu'ils soient tendres.
Combiner les autres ingrédients dans un petit bol.
Cuire la sauce au four à micro-ondes pendant 3 minutes. Égoutter les bou-
    quets de chou-fleur et y verser la sauce.

6 portions.

Haricots verts et pignons

450 g (1 lb) de haricots verts, les bouts coupés
30 ml (2 c. à soupe) d'huile d'olive
2 ml (1/2 c. à thé) de sel d'ail
5 ml (1 c. à thé) d'origan
Poivre du moulin, au goût
45 ml (3 c. à soupe) de pignons

Cuire les haricots dans de l'eau non salée pendant 7 minutes, ou jusqu'à ce qu'ils soient tendres. Égoutter et stopper la cuisson en versant de l'eau froide sur les haricots.

Chauffer 15 ml (1 c. à soupe) d'huile d'olive à feu moyen dans une poêle.

Ajouter les pignons et les faire brunir légèrement.

Ajouter les ingrédients restants dans la poêle et verser les haricots verts. Bien mélanger.

4 portions.

Yogourt fouetté du Dr Paul

1 portion de Whey Tech ou de poudre protéinée (en vente dans les pharmacies)

2 bonnes cuillérées de yogourt nature sans gras

125 à 250 ml (1/2 à 1 tasse) de petits fruits frais

2 ml (1/2 c. à thé) d'édulcorant

4 cubes de glace

Fouetter tous les ingrédients au mélangeur. Ajuster la quantité d'édulcorant et de fruits à votre guise.

1 portion.

7

Tricher lors d'occasions spéciales : les 4 alliés d'une perte de poids rapide

En matière de poids, les occasions spéciales se classent en deux catégories. Il y a d'abord celles pour lesquelles vous voulez perdre beaucoup de poids dans un laps de temps extrêmement court, comme les mariages, les réunions d'anciens de l'école et les séjours à la plage. Il y a ensuite celles qui semblent faites pour vous faire gagner du poids, comme le temps des fêtes, une réception, etc.

Un croisement des deux est possible. Par exemple, pour cette croisière dans les Caraïbes le mois prochain, vous cherchez à maigrir ultrarapidement afin d'enfiler ce magnifique (et microscopique) maillot de bain que vous vous êtes procuré en solde à la fin de l'été dernier. Une fois que vous avez atteint votre objectif et que vous avez enfilé votre maillot, vous vous retrouvez, le premier soir de la croisière, devant un buffet gargantuesque, rempli d'aliments riches en calories, recouverts de sauce, de beurre et de crème, assez pour vous faire faire naufrage!

Malgré tout ce qu'ont pu dire les gourous de la santé depuis l'invention de la presse écrite, vous ne pouvez pas toujours changer ce qui se présente à vous. Vous avez par contre le pouvoir de modifier votre attitude. Le temps des fêtes et autres célébrations continueront de vous tenter. Les vacances pointeront à l'horizon, et l'été se montrera avec ses éternels incontournables. Que faire?

D'entrée de jeu, si vous avez besoin d'accélérer votre perte de poids pour arriver à vos objectifs dans des délais impossibles, choisissez parmi les deux stratégies que voici :

• **Continuez de faire ce que vous étiez en train de faire**. Vous n'avez en réalité pas besoin de changer quoi que ce soit, si ce n'est de continuer à suivre la diète des tricheurs. Vous ne perdrez pas du poids plus vite, mais vous continuerez à en perdre. Votre apparence pourrait même vous satisfaire au moment opportun!

• **Prenez certaines dispositions.** Ce choix doit être réservé aux gens qui veulent des résultats spectaculaires en vue d'une occasion spéciale. Toutefois, cette méthode a un prix. Bien sûr, vous pouvez réussir à perdre 7 ou 8 kilos supplémentaires en quelques semaines mais, pendant ce temps, aucun écart de conduite ne vous sera permis. Ni chocolat, ni vin, ni brioche à la cannelle. Désolé. Et vous devrez vous promettre une chose : vous devrez faire le serment de revenir à la diète des tricheurs à la seconde où vous aurez atteint votre objectif.

Une nouvelle stratégie

Les résultats exceptionnels exigent des mesures exceptionnelles. La routine que je vous propose ici n'est pas simple. C'est pourquoi je vous invite à ne pas en faire une stratégie à long terme. Ce régime est très bien pour faire pencher le pèse-personne en votre faveur, mais vous ne devriez pas le suivre plus de quelques semaines. Pourquoi? Il a des inconvénients majeurs et vous sera d'un ennui mortel!

Je vous en avertis, car les résultats que vous aurez avec ces quatre alliés feront en sorte de vous tenter de continuer ce régime. Ne le faites pas. Après un certain temps, vous commencerez à sentir la privation en vous et vous aurez le goût de passer votre rage de manger en trichant un peu. Ça commence avec une pleine assiette de pâtes, puis avec une tranche de pain, puis avec un bon sundae au chocolat. Je ne plaisante pas : les gens font réellement cela. Le problème réside dans le fait que ce genre de tricheries relève de l'indiscipline : vous ne respectez pas les jours où tricher vous est permis. La première fois, ça ne dérange pas grand-chose mais, sans que vous vous en rendiez compte, vous succombez peu à peu à la tentation. À ce point, vous pourriez aussi bien devoir aller dans le grenier pour en ressortir tous les vêtements « taille forte » que vous aviez mis de côté.

Rappelez-vous cette promesse que vous vous êtes faite : dès que vous aurez atteint votre but avec ce régime haute vitesse, vous reviendrez à votre programme de départ, qui vous permet de tricher pendant les fins de semaine.

Les 4 alliés d'une perte de poids rapide

Les quatre alliés de ce plan sont les quatre éléments que je suggère à mes patients lorsqu'ils veulent accélérer leur perte de poids dans un délai court. Cette approche peut présenter des inconvénients et devenir ennuyeuse, mais elle est tout à fait saine. Il n'y a aucune planche de salut, pas de marathon à courir ni de diète liquide impliquée, seulement quelques ajustements à apporter à votre régime. Les voici :

1. Des repas légers fréquents. Manger de petites quantités cinq ou six fois par jour permet de maintenir stable le taux de sucre dans le sang. D'autres régimes vous suggèrent de toujours vous nourrir ainsi mais, pour être franc, il est souvent difficile de faire entrer six repas par jour dans un horaire déjà serré. Par contre, vous pouvez certainement le faire un mois ou deux. Vous serez enchanté des résultats.

Voici un exemple de programme pour une journée :

8 h. Déjeuner avec deux œufs, café ou thé.
10 h. Une petite pomme ou un agrume.
Midi. Du thon avec du jus de citron ou de la mayonnaise faible en gras, laitue et tomate. Compote de pommes non sucrée.
14 h. Pas plus de 16 amandes, arachides ou noix.
16 h. Une portion de yogourt sans gras.
18 h. De 100 à 150 g (4 à 6 oz) de saumon bouilli ou frit dans l'huile de canola. Une petite poire, deux légumes de la liste présentée dans la stratégie « salade » (voir page 58). Une portion de dessert de la liste « 40 aliments pour tricher sans scrupules » (voir page 45).

Cet horaire devrait vous permettre de vous sentir rassasié en tout temps, de garder basse votre consommation de calories et d'entretenir votre métabolisme. En fait, vous fonctionnerez comme un moteur alimenté d'essence à indice d'octane élevé.

2. Beaucoup de liquide. La plupart d'entre nous ne buvons pas assez de liquide, et cela ralentit la perte de poids. Pourquoi? Lorsque les reins, dont le travail consiste à nettoyer le sang de ses impuretés, n'ont pas assez d'eau, ils ne fonctionnent pas de façon optimale. C'est alors le foie qui prend le relais, lui dont le travail consiste normalement à transformer les graisses en carburant pour l'organisme. Ainsi distrait de sa tâche première, le foie ne peut pas remplir efficacement sa mission, ce qui laisse des matières grasses inutilisées. Évidemment, si vous voulez accélérer votre perte de poids, vous avez besoin de reins bien hydratés qui fonctionneront à plein régime.

Pour de meilleurs résultats, buvez au moins 2 litres (8 tasses) de liquide par jour, plus 250 ml (1 tasse) pour chaque tranche de 3,5 points de votre indice de masse corporelle (IMC) dépassant 25. Au début, vous irez souvent aux toilettes, mais les choses se placeront d'elles-mêmes après quelques jours. Votre foie et vos reins pourront alors faire le travail pour lequel ils sont conçus.

Lorsque je parle de liquides, je ne fais cependant pas référence à l'alcool. L'alcool vous déshydrate, et ce n'est surtout pas l'effet que vous recherchez. Vous voulez ajouter du liquide à votre corps, pas lui en enlever. Voici les liquides que je vous recommande :

- **Eau ou eau parfumée sans sucre.** L'eau, c'est l'eau. Elle n'a pas son pareil !
- **Thé.** Presque tous les thés sont bons, en particulier les noirs et les verts. Pour les sucrer, utilisez un édulcorant. Laissez reposer un sachet de thé dans une eau frémissante environ cinq minutes, pressez sur le sachet pour bien en faire sortir les antioxydants.
- **Café.** Le café n'a pas toujours eu bonne presse au cours des dernières décennies, mais les chercheurs nous apportent quelques bonnes nouvelles à son sujet, entre autres en ce qui concerne son effet stimulant sur la perte de poids. Servez-le avec un substitut de sucre et un colorant sans gras. Le café contient plus de caféine que le thé et agit comme un diurétique. En boire trop peut mener à de la déshydratation. Vous vous limiterez donc à une consommation d'une ou deux tasses par jour.
- **Limonade.** Faites votre propre limonade avec des citrons frais et un édulcorant.
- **Boissons gazeuses diète.** Elles ne sont pas géniales, mais elles sont quand même meilleures que les boissons gazeuses régulières.

• **Soupes.** Nutritives et bourratives, elles comptent tout de même comme des liquides. On peut en manger comme repas ou en collation. On vend maintenant de multiples variétés de soupes pour four à micro-ondes, qui ne prennent que deux minutes à préparer. Je recommande les soupes aux tomates, aux légumes, aux lentilles ou poulet et nouilles.

3. Poisson. À chacun de vos trois repas principaux de la journée, commencez par manger les aliments qui contiennent des protéines. Cela vous permettra d'atteindre la satiété plus rapidement. Ainsi, sans vous en rendre compte, vous consommerez moins de calories. Les poissons, en particulier le thon, le saumon, les sardines et le hareng, sont les meilleures sources de protéines pour une bonne santé, mais le poulet et la dinde sont des options acceptables, comme le filet de porc, la saucisse de dinde et le bacon de dinde. Vous pouvez aussi ajouter à votre diète une algue appelée spiruline, désignée comme l'aliment le plus sain du monde. Elle vous procurera 12 fois plus de protéines qu'une portion équivalente de viande rouge, et c'est le seul aliment avec le lait maternel qui contient un acide gras essentiel appelé acide gamma-linoléique (GLA). Votre organisme produit du GLA de lui-même, mais si votre alimentation n'apporte pas un complément, vous pourriez souffrir d'une carence. D'autres bonnes sources de protéines sont le lactosérum (petit-lait) et le quinoa biologique. Quant à la viande rouge, oubliez-la pour l'instant.

4. Fibres. Enfin, ajoutez des fibres à vos repas. Les meilleures se trouvent dans les fruits — ma source préférée — et les céréales entières. Je vous recommande au moins une portion supplémentaire de fruit à chaque repas, plus si vous préférez. Les fruits les plus riches en fibres sont les pommes, les poires, les prunes, les cerises, les fraises et les pruneaux. Les légumineuses en sont une autre bonne source, et elles vous procurent en plus des protéines.

Essayez les pois chiches, les haricots rouges ou les haricots verts en salade, avec un filet d'huile d'olive et du vinaigre. Vous pouvez aussi prendre un supplément de fibres. Ils vous sont offerts sous trois formes : poudre, pilules et comprimés à mâcher. Respectez les indications du fabricant. Les fibres donnent l'impression d'être rassasié, ils soulagent de la constipation et peuvent faire baisser le taux de cholestérol et amenuiser les risques de cancer du côlon.

Après tout cela, si vous ne pouvez suivre ce régime en raison de la faim qui vous tenaille, des suppléments peuvent vous aider. Passez au chapitre 8 pour en connaître les détails.

Que faire des canapés?

Que vous atteigniez votre but grâce aux quatre alliés ou simplement en trichant le week-end, le temps des fêtes et les soupers entre amis risquent encore de poser tout un défi. Après tout, même quand vous trichez, vous devriez arrêter de manger avant de vous sentir prêt à exploser. Céder à la tentation est un réel danger lorsque cette tentation prend la forme de plateaux qu'un traiteur vous passe constamment sous le nez. Pendant le temps des fêtes surtout, rester fidèle à son régime peut être difficile lorsque vous êtes convié à plus de soirées que vous pouvez n'en inclure dans votre fenêtre de 36 heures, c'est-à-dire vos week-ends où tricher vous est permis.

BON JUSQU'À LA DERNIÈRE GOUTTE

On a vite fait de condamner le café. Après deux décennies de recherches, toutefois, il semble que le café serait bon pour vous, si bien sûr vous en prenez avec modération. Les études montrent qu'il pourrait vous aider à réduire vos risques de souffrir du diabète de type 2, de la maladie de Parkinson et de calculs biliaires, qu'il prévient les tumeurs cancéreuses du côlon et les dommages au foie chez les gens qui y sont susceptibles, qu'il améliore les fonctions intellectuelles, augmente l'endurance et rend plus vigilant. Il y a bien sûr un revers à cette médaille. La caféine peut créer de la dépendance et augmenter la fréquence du rythme cardiaque et la pression sanguine. Elle peut même engendrer de l'arythmie. Ces inconvénients se produisent plus souvent chez les gros consommateurs de café. Limitez-vous à une ou deux tasses par jour, et savourez!

Voici quelques trucs qui vous aideront à rester à la hauteur de la situation. Ne faites pas que lire cette liste en vous disant que voilà de bien bonnes idées. Donnez-leur une chance de vous être utiles.

Arrivez tard, partez tôt. C'est peut-être une évidence, mais plus vous resterez longtemps en présence de nourriture, plus vous serez susceptible de trop manger. Dites-vous que dans un buffet, les amuse-gueule sont distribués pendant la première heure de la réception, alors que les desserts sont offerts pendant la toute dernière heure. Essayez donc d'être présent seulement quand on propose les plats principaux, pendant une ou deux heures, au milieu de la soirée. Pour les repas servis à la table, cette stratégie ne fonctionne pas, bien sûr. Vous devrez donc être très strict quant à vos portions. Souvenez-vous de diviser votre assiette en quatre sections et d'en remplir deux avec des légumes. Si votre hôte ou votre hôtesse voit votre assiette pleine, il ou elle sera très heureux, vous aussi serez très heureux, et personne n'aura rien à redire. Si cette réception ne se déroule pas pendant la fin de semaine, oubliez le dessert. Les gens y vont de diverses excuses pour justifier ce refus. Il n'y a pas de quoi s'en faire. Dites seulement que ç'a l'air délicieux, que vous aimeriez y goûter mais que vous essayez de perdre du poids. Croyez-moi, vous attirerez la sympathie de vos proches.

Mangez en tenant un verre dans votre main dominante. Occupez la main avez laquelle vous écrivez, par exemple, en tenant la main de quelqu'un d'autre. L'idée consiste à garder cette main occupée. Les gens ont tendance à manger avec leur main dominante, surtout lorsqu'ils peuvent s'en servir pour piger dans un buffet. Utiliser l'autre rend les sensations étranges et inconfortables; cela vous forcera d'ailleurs à remarquer ce que vous faites. Plus c'est étrange, plus vous porterez attention à ce que vous portez à votre bouche et plus vous garderez le contrôle sur votre appétit.

Ajoutez quelques noix à vos légumes. C'est rare qu'on ne présente pas un plateau de légumes lors d'une fête. Tenez-vous-en près. Je sais que manger des carottes, du brocoli et du chou-fleur ne vous remplira pas l'estomac. Je vous suggère donc de consommer une poignée de noix avec après avoir savouré vos légumes. Attendez 20 minutes avant de manger quoi que ce soit d'autre. Entre-temps, votre organisme aura atteint son point de satisfaction et vous n'aurez plus faim. Cela suppose toutefois qu'on ait prévu des noix en entrée... Pour vous en assurer, pourquoi ne pas vous en apporter un sachet que vous garderez dissimulé et que vous pourrez consommer discrètement? Je sais : vous vous dites que vous aurez l'air étrange si on vous voit sortir un sachet de pacanes de votre poche. Faites-le lorsqu'on ne vous regardera pas.

Socialisez. Manger est devenu une façon de socialiser. C'est vrai que nous organisons des événements sociaux autour de la nourriture, mais nous cherchons aussi à discuter avec des gens quand nous ne mangeons pas. C'est une grande vérité que d'affirmer qu'il est difficile de parler et de manger en même temps. Faites en sorte que ça vous avantage. Dans une soirée, placez en priorité le plaisir d'être en bonne compagnie. Occupez-vous à mieux connaître les gens qui vous entourent. Ça vous gardera la tête loin du buffet.

Perdez du poids d'avance. Une manière de prendre en main les festivités qui s'étendent de novembre à janvier chaque année consiste à suivre le régime des quatre alliés en octobre et au début de novembre, jusqu'à ce que vous perdiez un ou deux kilos supplémentaires. Selon une étude publiée dans le *New England Journal of Medicine*, les gens gagnent en moyenne une livre pendant le temps des fêtes. En perdant deux ou trois livres avant cela, vous vous donnez une marge de manœuvre. Célébrez! Même si vous regagnez tout le poids perdu, vous reviendrez au pire à la case départ. Si vous en gagnez moins, vous serez toujours en avance.

Prenez un petit repas avant de sortir. Voilà une suggestion de base, puisqu'elle fonctionne. Nous avons tous connu l'expérience de faire l'épicerie le ventre vide. Dans ce cas, nous voulons tout acheter ce que nous voyons, du pop-corn aux cornichons. (Se retrouver dans une boulangerie le ventre vide est encore pire, croyez-moi.) Si vous faites vos courses après avoir mangé, par contre, toutes ces petites douceurs qui vous font signe depuis leur étalage vous laissent de glace. Vous demeurez alors fidèle à votre liste. Le même principe peut devenir votre chien de garde lorsque des morceaux juteux et des bouchées savoureuses vous titillent les sens lors d'une soirée. Prendre un repas léger avant de sortir signifie surtout consommer des protéines. Vous constaterez que vous serez moins porté à vous jeter sur la nourriture par la suite.

Sautez les sauces et les trempettes. Les trempettes peuvent être de très riches sources de calories. Si vous vous apprêtez à tremper des carottes et des brocolis dans une sauce au fromage bleu, vous pourriez aussi bien laisser les légumes en paix et attaquer un contenant entier de crème glacée à la pâte de biscuits au chocolat!

LE DÉFI DU RESTAURANT

Que vous vous retrouviez dans un fast-food ou dans un établissement de nouvelle cuisine française, manger au restaurant les soirs de semaine peut s'avérer un gros test pour vous. Parfois, le menu est si difficile à déchiffrer qu'il peut devenir presque impossible de faire les choix santé qui s'imposent. Voici quelques trucs pour vous aider à y voir clair.

Suivez la règle du 50/50. Mangez seulement la moitié de tout ce qui se trouve dans votre assiette et demandez d'emporter les restes. La moitié du plat signifie la moitié des calories. Vous ne vous priverez ainsi de rien, car les restaurants sont réputés pour offrir des portions largement supérieures à ce qui est sain pour vous.

Commandez à la carte. Vous n'aimeriez pas vous retrouver devant une assiette pleine d'aliments qui vous feront grossir et détruiront votre santé. Les frites sont un bon exemple. Ce sont des glucides purs cuits dans du gras saturé, le tout arrosé de sel. Si vous vous fiez à votre volonté pour ne pas les manger, il y a fort à parier que vous allez perdre. Commander chaque aliment individuellement peut vous épargner beaucoup de problèmes. Allez-y pour des aliments complets, du poisson ou de la volaille. Les pâtes devraient se limiter à un plat d'accompagnement. Évitez tout ce qui contient du pain ou de la friture. Si vous voulez relever le goût de votre menu avec de la sauce, optez seulement pour la salsa ou un peu de relish.

Choisissez parmi les aliments santé. Quelques restaurants sont passés en mode santé et offrent dans leur menu des plats bons pour le cœur. Vous les reconnaissez à un petit sigle (laissé à la discrétion de l'établissement) qui indique les repas faibles en gras et, souvent, en sucre, ce qui se traduit par « bons pour perdre du poids ».

Mangez de la soupe et des salades. Les soupes sont excellentes pour calmer votre appétit sans vous charger de glucides et de gras. Les salades sont une autre excellente option, en autant que vous fassiez attention de ne pas trop y ajouter de croûtons et de vinaigrette crémeuse. Si vous n'êtes pas prudent, vous pouvez rapidement transformer une salade en plat très calorifique.

Commandez à partir du menu des entrées. Vous pouvez vous composer un menu fort intéressant en choisissant seulement des entrées. Parce que celles-ci sont souvent servies en petites portions, elles sont parfaites pour limiter vos calories. Soyez attentif au type d'entrées que vous choisirez toutefois. Une montagne de nachos et de fromage ne vous aidera pas à rester fidèle à votre programme.

Dites non à votre serveur. Refusez le pain et le sucre, et assurez-vous que votre serveur demande au chef que vos aliments ne contiennent pas de beurre. Plusieurs restaurants, en particulier ceux qui coûtent cher et où de grands chefs s'exécutent, ajoutent de gros morceaux de beurre à plusieurs plats afin d'en rehausser la saveur.

8

Les suppléments qui marchent (et ceux qui ne marchent pas)

En matière de traitements médicinaux pour perdre du poids, qu'il s'agisse d'un médicament d'ordonnance ou d'un supplément en vente libre dans une pharmacie, les gens semblent divisés en trois groupes : ceux qui sont prêts, volontaires et capables d'essayer tout ce qui pourrait les aider à faire pencher le pèse-personne en leur faveur; ceux qui sont fondamentalement contre toute approche autre que la diète et l'exercice; ceux qui pourraient vouloir tenter une pareille chose mais qui sont inquiets à cause de tout ce qu'ils ont entendu au sujet d'expériences néfastes survenues par le passé en lien avec les médicaments et les suppléments.

À mon avis, l'embonpoint et l'obésité sont des problèmes médicaux sérieux qui peuvent entraîner de lourdes conséquences pour la santé, incluant des maladies menant à l'invalidité ou à la mort. Si vous êtes incapable de perdre du poids peu importe vos efforts soutenus, ou si vous vous sentez trop faible pour poursuivre une diète, je crois que vous devriez considérer toutes les possibilités, en autant qu'elles soient sécuritaires et efficaces.

La peur des brûleurs de graisses

Par le passé, ni les médicaments pour perdre du poids ni les suppléments ne fonctionnaient, ou alors ils entraînaient de dangereux effets secondaires. Plusieurs produits contenaient des amphétamines, drogues qui entraînent des problèmes de dépendance et qui, consommées en excès, causent de terribles problèmes comme des hallucinations, des psychoses, une augmentation du rythme cardiaque, une élévation de la tension artérielle, des palpitations cardiaques, de la sécheresse buccale, une vision floue, des étourdissements, des tremblements, de l'insuffisance cardiaque, des crises et même la mort.

Puis est arrivée la combinaison « fen-phen », qui semblait plus efficace et dépourvue du potentiel de dépendance, mais des patients ont développé des valvulopathies, alors que d'autres ont subi un dangereux phénomène appelé hypertension pulmonaire. La première moitié de ce duo, la fenfluramine, a été désignée comme le coupable et a été retirée du marché. La phentermine, deuxième partie du duo, demeure en elle-même un moyen efficace de contrôler le poids.

Les médicaments en vente libre n'étaient pas mieux. L'un d'eux, la phénylpropanolamine (PPA), a été vendue en pharmacie sous les marques Dexatrim et Accutrim, entre autres. Elle causait aussi son lot d'effets secondaires, dont l'anxiété, les palpitations, les maux de tête, les hallucinations, l'insomnie, les nausées, la haute pression sanguine et d'autres encore qui pouvaient, à l'extrême, entraîner la mort.

Finalement, le gouvernement américain a retiré du marché un autre supplément diététique, l'éphédra, en raison d'effets secondaires rapportés, tels que des problèmes cardiaques, et même des cas de mort subite. Je ne suis pas certain que le gouvernement a agi en toute connaissance de cause dans cette affaire, mais je ne suis pas non plus intéressé à m'étendre sur le sujet. La réalité, c'est qu'une bonne partie de la population considère l'éphédra comme dangereux, et on a craint que cette peur à l'égard des médicaments d'ordonnance et en vente libre ne se répande à l'endroit de tous les suppléments naturels.

Je ne peux blâmer le public pour ses craintes. Je peux seulement dire que les résultats à long terme d'un surplus de poids sont également terribles et mortels. La solution ne consiste pas à se jeter sur tous les produits disponibles mais plutôt à déterminer, en premier lieu, ceux qui sont sûrs et qui fonctionnent.

Les suppléments qui ne fonctionnent pas

On vend suffisamment de suppléments et de médicaments amaigrissants aux États-Unis pour ensevelir une ville entière, et tous prétendent être la percée scientifique qui fait des miracles sur le tour de taille. Remplissent-ils leurs promesses? Laissez-moi répondre de cette façon : l'épidémie d'obésité aux États-Unis continue de croître. S'il existait une pilule magique qui puisse rendre une personne mince en une nuit, nous aurions tous un poids idéal.

Le fait est que certains produits peuvent aider, mais qu'aucun ne fait des miracles. Ils peuvent faire en sorte que vous restiez fidèle à votre régime à temps partiel, sur semaine, plus facilement. Et si mes recommandations visant à éliminer les plateaux, ces périodes où l'on ne semble plus en mesure de perdre du poids, ne fonctionnent pas, il se peut qu'une combinaison de suppléments puisse aider à faire en sorte que votre corps recommence à maigrir.

D'un autre côté, plusieurs des produits dont vous avez déjà entendu parler n'ont aucune efficacité en matière de perte de poids. C'est le cas de ceux-ci :

Chrome. Il y a quelques années, on disait de ce minéral qu'il permettait à la fois de perdre du poids et de construire une musculature. Ces affirmations avaient été faites par Gary Evans, un chimiste qui avait trouvé une façon de fabriquer synthétiquement du picolinate de chrome, une substance qui se trouve naturellement dans le corps humain, mais à l'état de traces seulement. Le chrome aide le sucre et les protéines à entrer dans les cellules du corps. Parce que les protéines sont les matériaux de construction des muscles, M. Evans croyait qu'un supplément de chrome suffirait à augmenter la masse musculaire. Pour appuyer sa théorie, il a fait deux petites études. Le premier groupe était formé d'entraîneurs, le second, de joueurs de football. Gary Evans soutenait que le fait de donner un supplément de 200 mg de picolinate de chrome par jour permettait à ses cobayes de gagner 3,5 lb de muscles tout en perdant une quantité significative de masse adipeuse. Des experts de partout ont vertement critiqué sa méthode, pleine d'erreurs. Depuis ce temps, d'autres chercheurs ont tenté de reproduire les résultats d'étude de Gary Evans, sans succès. Bref, il n'existe aucune preuve crédible à ce jour que le chrome puisse faire maigrir.

UN MÉDICAMENT MIRACLE?

Plusieurs études au sujet d'un nouveau médicament, le Rimonabant, mis au point par l'entreprise pharmaceutique française Sanofi-Synthelabo, ont montré qu'il aide les gens à perdre du poids et à arrêter de fumer! Le Rimonabant est le premier d'une nouvelle classe de médicaments, les antagonistes CB1 chargés de bloquer les récepteurs du système naturel endocannabinoïde (inhibiteur sélectif des récepteurs cannabinoïdes de type 1). Ceux-ci, en plus de faire maigrir, ont la faculté de réduire sensiblement les stocks de graisse abdominale. Ils augmentent aussi le taux de bon cholestérol (HDL), abaissent les triglycérides, améliorent les taux de glucose et d'insuline et réduisent la dépendance envers le tabac. Toutefois, ne croyez pas que vous perdrez la moitié du poids désiré — ni que vous cesserez immédiatement de fumer — simplement en utilisant ce médicament. Les personnes qui ont pris du Rimonabant pendant un an en Europe ont perdu environ 10 % de leur poids et ont doublé leurs chances de cesser de fumer. Voilà des résultats prometteurs en matière de santé, mais il ne s'agit pas d'un miracle. Je crois que le Rimonabant, qui sera mis en marché aux États-Unis sous le nom d'Acomplia, apportera une importante contribution à tout programme visant la réduction de poids, tout comme La diète des tricheurs.

Fibres. Manger plein de fibres à vos repas vous aidera à perdre du poids. Les fibres ne sont pas absorbées par l'organisme pendant la digestion. Elles ne font que se promener d'un bout à l'autre de votre système et faire en sorte que vous vous sentiez rassasié plus vite. Prendre des suppléments de fibres n'est toutefois pas suffisant. Vous avez besoin de fibres sous forme de grains entiers et de légumes. En effet, si vous remplissez votre assiette d'aliments qui ne seront pas absorbés par votre organisme, vous réduisez l'importance des aliments qui le seront, comme les glucides et les gras. Ainsi, vous diminuez automatiquement la quantité de calories ingérées.

DRAPEAUX ROUGES

Récemment, la Federal Trade Commission des États-Unis a dressé une liste de sept faux arguments, qu'elle a appelés « drapeaux rouges », afin d'aider la population à repérer les arnaques en matière de perte de poids. Vous pouvez lire ce genre d'affirmations dans certaines publicités dans les journaux ou même à la télévision. Les voici :

1. Entraîne une perte de poids de 2 lb par semaine pendant un mois, ou plus, sans diète ni exercice.
2. Entraîne une perte de poids substantielle, peu importe la nourriture que vous mangez et la quantité que vous mangez.
3. Entraîne une perte de poids permanente (même lorsque le consommateur cesse d'utiliser le produit).
4. Bloque l'absorption du gras ou des calories pour vous permettre de perdre du poids de façon substantielle.
5. Permet de perdre plus de 3 lb par semaine pendant plus de quatre semaine, et ce, sans danger.
6. Entraîne une perte de poids chez tous les utilisateurs.
7. Entraîne une perte de poids importante simplement en portant le produit ou en le faisant pénétrer dans la peau.

Chitine. La chitine est un type de fibre dont les infopublicités télévisées et les magazines ont parlé abondamment. On la trouve dans la carapace de crustacés comme les homards et les crevettes. Les fabricants de suppléments prétendent que la chitine absorbe jusqu'à 12 fois son poids en matières grasses, incluant le gras que vous mangez, puis le transporte sans danger à l'extérieur de l'organisme. Il semble que la chitine puisse réduire l'absorption du gras par l'organisme dans une proportion de 8 % environ, mais elle réduit aussi l'absorption du calcium et des protéines. Qui plus est, elle ne semble avoir aucun effet sur la perte de poids. Ne gaspillez donc pas votre argent dans des suppléments de chitine.

Citrimax. Il s'agit de la marque de commerce d'un extrait de plante appelée tamarin. Le nom chimique est acide citrique hydroxyle (HCA). Les Asiatiques en consomment depuis des lunes comme assaisonnement. Ce produit avait la prétendue faculté de faire en sorte que le sucre soit stocké dans le foie et non dans les cellules adipeuses. Il devait aussi réduire l'appétit et abaisser le taux de cholestérol. Malheureusement, soumis à des tests, ce produit n'a rien prouvé de l'efficacité qu'on lui prêtait. Dans une étude, les sujets qui prenaient du HCA ont même perdu moins de poids que ceux qui avaient reçu un placebo. Dans une autre étude, cette fois sur des animaux de laboratoire, les sujets mâles ont subi une atrophie des testicules. Bref, ce produit ne vous aidera pas à perdre du poids et pourrait même être dangereux pour vous.

Réducteurs de cortisol. À la télé, nous sommes inondés d'infopublicités nous vantant les mérites de substances soi-disant capables d'abaisser le taux de cortisol, une hormone sécrétée par les grandes surrénales en réponse au stress. Non seulement les fabricants prétendent que leurs suppléments aideraient les gens à perdre du poids en réduisant leur taux de cortisol, mais ces suppléments devraient en fait prévenir toutes les maladies. La logique se basait sur l'idée que toute maladie, y compris la perte de poids, est

liée au stress. C'est un non-sens. Rien ne prouve que les médicaments en vente libre peuvent affecter d'une quelconque façon le
taux de cortisol. Une meilleure façon d'atteindre cet objectif
consisterait à suivre des cours de yoga, à faire de la relaxation ou à
dire des prières. La Federal Trade Commission des États-Unis est
d'accord avec moi à ce sujet et a intenté des poursuites pour affirmations frauduleuses ou sans fondements contre deux entreprises
produisant de tels produits.

Remèdes à base d'herbes. Si certaines herbes peuvent vous
aider à perdre du poids, la plupart n'ont aucun effet à ce chapitre.
Voici donc une courte liste d'ingrédients à éviter en matière
d'amaigrissement:

- Algues
- Baies de genévrier
- Barbe de maïs
- Fenouil
- Garcinia
- Ginkgo biloba
- Ginseng
- Gotu kola
- Millepertuis
- Mouron
- Persil
- Pissenlit
- Varech

Orlistat. Connu sous le nom de commerce Xenical, ce produit, selon
des études, peut vous faire perdre jusqu'à 10 % de votre poids en inhi-
bant l'absorption de gras dans l'organisme. Toutefois, j'ai pu constater
des effets secondaires intolérables (diarrhées, crampes, incontinence,
sécrétions huileuses) au cours de ma pratique. Je ne comprends pas

comment une personne peut continuer à prendre ce médicament assez longtemps pour arriver à perdre du poids.

Autres « remèdes miracle » de charlatan. La Federal Trade Commission a publié une liste de produits amaigrissants inefficaces, liste dont font partie le chrome, le Citrimax et les pilules diététiques, tout comme les produits suivants :

- Les programmes « Perdez 30 lb en 30 jours »
- Les timbres corporels
- Les semelles orthopédiques
- Les inhibiteurs de la lipase (à l'exception de l'Orlistat)
- Les capteurs de graisses (qui promettent de capter le gras avant son absorption par l'organisme, puis de l'expulser avec les autres déchets organiques)
- Les produits contenant du glucomannan, de la gomme de guar, des agents émulsifiants ou des extraits de bile de bœuf
- Le pollen
- Les laxatifs
- Les stimulateurs musculaires électriques
- Les appareils de mouvements passifs
- Les bracelets qui suppriment la faim
- Les accessoires d'acupuncture
- Les pellicules plastiques pour le corps, les ceintures ou les gaines
- Et des centaines d'autres produits conçus pour favoriser la perte de poids et vendus sans ordonnance, déclarés « non sécuritaires » ou « inefficaces » par la Food and Drug Administration des États-Unis.

Les suppléments qui fonctionnent

D'après mon expérience, quelques suppléments aident à perdre du poids, mais seulement s'ils font partie d'une démarche plus globale. Autrement dit, malgré ces suppléments, vous devrez continuer de faire attention à ce que vous mangez et de faire de l'exercice. Les suppléments ne font que rendre les choses un peu plus faciles. Et par « supplé-ments qui fonctionnent », je veux dire qu'ils accomplissent des actions comme celles-ci :

• **Accélérer le métabolisme.** Plusieurs personnes avec des livres en trop ne font pas d'excès de nourriture. Elles ne brûlent simplement pas de façon efficace ce qu'elles mangent. Elles stockent trop et métabolisent trop peu. Cela devient un problème plus grave à mesure qu'on vieillit, ou c'est dû à une diète qu'on a suivie trop fidèlement pendant trop longtemps. Souvenez-vous que plusieurs diètes qui ne permettent aucun écart de conduite entraînent un ralentissement du métabolisme. Si vous mangez moins, vous brû-lez également moins de calories. La pilule idéale vous permettra de manger moins tout en brûlant plus d'énergie.

• **Diminuer l'appétit, les rages de bouffe et le fait de manger ses émo-tions.** Vous pouvez avoir bon appétit ou vous sentir affamé souvent, ou encore avoir une tendance aux rages de bouffe. Peut-être mangez-vous trop uniquement pour calmer des émotions, du stress ou de l'ennui. Peu importe, la pilule idéale vous permettra de contrôler votre appétit.

• **Augmenter l'énergie.** L'activité physique contribue grandement à la perte de poids, mais plusieurs n'ont pas l'énergie pour bouger davantage. La pilule idéale vous donnera ce petit coup de pouce sans pour autant causer de nervosité ou d'insomnie.

Quel supplément peut faire tout cela pour vous? Aucun. Une com-binaison d'ingrédients peut toutefois y arriver. J'énumère les cinq principaux dans ce qui suit. Ils sont tous vendus près de chez vous ou, au pire, par Internet. Vous n'obtiendrez pas de résultats spectaculaires en n'en utilisant qu'un seul, mais je crois que vous serez satisfait si vous les prenez tous de façon régulière.

Maté (thé des Jésuites, thé du Paraguay, thé du Brésil). C'est mon favori. Il s'agit d'un arbre à feuilles persistantes de la famille du houx, dont le feuillage coriace est utilisé comme une variété de thé dans une bonne partie de l'Amérique du Sud. Le maté était bu par les Indiens du Brésil et du Paraguay pour soulager la fatigue. En Amérique du Sud, on trouve autant d'établissement servant du maté qu'il y a de cafés chez nous. Le maté est aussi utilisé comme diurétique et suppresseur d'appétit. En Allemagne, il est approuvé contre la fatigue et comme aide à la perte de poids. En France, il est approuvé pour combattre la fatigue et les problèmes de poids, ainsi que comme diurétique. Il apparaît dans la pharmacopée britannique comme traitement contre les maux de tête et la fatigue, de même que pour la perte de poids. Le xanthone, la saponine et l'acide chlorogénique en sont les ingrédients actifs. Il y a tant de gens qui ont apprécié l'efficacité du maté que des chercheurs s'y sont intéressés. En 1999, une étude suisse est arrivée à la conclusion que la consommation de maté augmente la combustion des graisses et accélère le métabolisme. Dans une autre étude menée au Danemark, les participants ont perdu en moyenne 1 kg par semaine en consommant du maté. Mieux encore, ils n'ont souffert d'aucun effet secondaire. Pour ma part, j'ai pu observer que le maté augmente la combustion des graisses, favorise l'énergie et diminue la sensation de faim.

Posologie : 225 mg deux fois par jour.

L-tyrosine. Le corps utilise cet acide aminé pour fabriquer deux neurotransmetteurs, la dopamine et la norépinéphrine. La L-tyrosine peut donner de l'énergie, aider à soulager les dépressions, le stress physique et psychologique. La glande thyroïde l'utilise pour fabriquer l'hormone thyroxine, qui a un effet significatif sur le métabolisme. Combinée à d'autres substances présentées ici, elle peut apporter une aide appréciable dans la perte de poids. On la trouve naturellement dans les produits laitiers, la viande, les poissons et les céréales, incluant le germe de blé, le fromage ricotta, le fromage cottage, le porc, le poulet, la dinde, le canard et le gibier. On la trouve également en supplément.

Posologie : de 250 à 1 000 mg deux fois par jour (augmentez la posologie jusqu'à ce que vous obteniez l'effet désiré, sans dépasser cette recommandation).

5 HTP. Le principal problème des personnes obèses ou faisant de l'embonpoint n'est pas de trop manger. C'est de succomber à des rages et de manger ses émotions. Ces réactions sont causées par une déficience de la sérotonine dans le cerveau. Comme je l'ai mentionné auparavant, de faibles niveaux de cette hormone dans le cerveau peuvent causer de la dépression, de l'anxiété et le syndrome prémenstruel, entre autres. Pour contrôler les rages et les émotions, il faut donc hausser les taux de sérotonine et de norépinéphrine. Parmi tous les suppléments, il n'y en a pas beaucoup qui peuvent y arriver, mais le 5 HTP, qui provient des graines produites par un arbre africain, est certainement le meilleur d'entre eux. Il a été utilisé à ce jour pour traiter des dépressions, de la fibromyalgie, des désordres de l'humeur et des allergies. Plusieurs études ont démontré son efficacité dans les régimes amaigrissants. Commencez avec de faibles doses afin d'éviter la somnolence et les nausées. Il est encore meilleur lorsqu'on l'utilise en combinaison avec d'autres suppléments indiqués ici.

Posologie : de 50 à 100 mg, 20 minutes avant chaque repas.

Extrait de thé vert. Les Chinois boivent du thé vert pour améliorer leur bien-être général et pour traiter divers troubles comme la fatigue, les douleurs corporelles et les indigestions. Le thé vert est riche en antioxydants et en bioflavonoïdes. Il possède des propriétés antibactériennes et diminue le taux de cholestérol. Il inhibe par ailleurs l'action de carcinogènes, qui peuvent mener au cancer. Dans le cas qui nous préoccupe, il augmente la thermogenèse (développement continu et régulier de la chaleur chez les êtres vivants qui se traduit par la combustion des graisses) et aide au métabolisme des matières grasses. Une étude récente de l'*American Journal of Clinical Nutrition* a démontré que la consommation de thé vert entraîne une amélioration significative du métabolisme et de la dégradation des gras. Et ce n'est pas en raison de son contenu en caféine. Des chercheurs disent qu'il augmente de 35 à 43 % la thermogenèse diurne, le tout sans effet secondaire. Le thé vert contient aussi un composant qui hausse le taux de norépinéphrine dans le cerveau, un puissant inhibiteur de l'appétit.

Posologie : 200 mg deux fois par jour.

Mucuna pruriens. La dopamine est un autre neurotransmetteur important. En fait, lorsque vous vous sentez bien, vous devez en remercier la dopamine dans votre cerveau parce que c'est la substance chimique qui vous permet de ressentir du plaisir. Plus vous en fabriquez, mieux vous vous sentez. Si au contraire vos réserves sont basses, vous aurez tendance à vous sentir déprimé, et vous serez davantage sujet à prendre du poids. Ne serait-il pas merveilleux qu'un supplément naturel — et non un antidépresseur — puisse augmenter la quantité de dopamine dans le cerveau? Heureusement, le mucuna pruriens, un produit naturel méconnu qui contient une bonne dose de L-dopa, se transforme en dopamine dans le corps. La dopamine fonctionne comme un antidépresseur, elle aide au relâchement de l'hormone de croissance, stimule la croissance des muscles et facilite la combustion des gras. Elle peut aussi donner l'impression d'avoir plus d'énergie.

Posologie : 50 mg deux fois par jour.

Il va sans dire que si vous éprouvez des effets secondaires, cessez tout de suite l'usage de ces suppléments. Assurez-vous ensuite de faire connaître ces effets à votre médecin, peu importe qu'ils se produisent après l'ingestion d'un médicament d'ordonnance ou d'un produit en vente libre. Certaines herbes sans danger comme telles, peuvent générer des réactions malencontreuses lorsqu'elles se trouvent en présence de médicaments.

9

Des façons aérobiques
et anaérobiques de tricher

On lance toujours dans un même souffle les mots diète et exercice lorsqu'on parle de perdre du poids. Mais si vous aimez l'idée de tricher avec les aliments, peut-être vous demanderez-vous si vous pouvez également tricher avec l'exercice...

Avant de répondre à cela, je vous encourage à faire de l'exercice aussi souvent que vous le pouvez. C'est excellent pour votre santé. Ça aide à construire des muscles, augmente la force et la résistance, améliore la santé du cœur et la capacité respiratoire, permet de développer l'équilibre et fait en sorte que les articulations sont plus flexibles. L'exercice peut aussi soulager les dépressions modérées, aide la digestion et la régularité, contribue à prévenir l'apparition de certains cancers et améliore bien sûr votre silhouette.

Mais si vous voulez vraiment le savoir, oui, lorsqu'il est question de perte de poids, vous pouvez aussi tricher en matière d'exercice.

Le véritable lien entre l'exercice et la perte de poids

En moyenne, une personne mince transporte en elle suffisamment de réserves de graisses pour subvenir à ses besoins en énergie pendant un ou deux mois. La personne obèse moyenne, elle, en a assez pour subvenir à ses besoins en énergie pendant un an. Pour brûler ce gras, vous devez dépenser plus d'énergie que vous en consommez. C'est là que l'exercice semble entrer en jeu, non? Attendez un instant. Voyons cela de plus près.

Votre corps possède trois moyens de perdre du poids :

• **Métabolisme basal.** C'est l'énergie que votre corps dépense pour maintenir en opération tous ses systèmes, à l'exception du système digestif, même au repos.

• **Processus digestif.** C'est l'énergie que votre corps emploie pour digérer, absorber ou rejeter tout ce que vous y faites entrer.

• **Activité.** C'est l'énergie que votre corps brûle pour bouger, même si cela signifie l'intervention involontaire des muscles. Cela comprend tout mouvement que vous faites dans votre quotidien, incluant l'exercice.

Le métabolisme basal et le processus digestif totalisent environ 60 % de votre dépense d'énergie. L'activité compte pour 40 %, et parmi cette énergie, l'exercice en prend bien peu. En fin de compte, l'exercice physique n'apporte pas une très grande contribution à la perte de poids.

L'EXERCICE FAIT-IL PERDRE PLUS DE POIDS?

Une étude menée à l'Université du Massachusetts a chiffré la différence que peut engendrer un programme d'exercice quand vous désirez perdre du poids. Les sujets de cette étude étaient divisés en quatre groupes. Chacun suivait un régime mais trois d'entre eux seulement y jumelaient un type d'activité physique. Le groupe qui ne suivait que la diète a perdu en moyenne 9 lb, mais 11 % de ce poids perdu l'était sous forme de muscles. Un groupe combinait la diète et des exercices aérobiques. Il a perdu en moyenne 10 lb, dont 99 % en gras. Un autre groupe combinait la diète et des exercices faisant appel à la force. Il a perdu en moyenne 9 lb, toutes en gras, mais les sujets y ont même gagné de la masse musculaire. Toutefois, le dernier groupe combinant à la fois une diète, des exercices aérobiques et des exercices pratiqués en résistance (moins de force, plus d'endurance) a perdu en moyenne 13 lb, toutes en graisses, et a même gagné 4 % de masse musculaire. Les conclusions sont claires : une combinaison d'exercices aérobiques et d'un entraînement en résistance donne les meilleurs résultats.

Les rats de gymnase sont prompts à signaler que l'exercice ne stimule pas seulement leur énergie, il améliore aussi le rendement de leur métabolisme. Et ils ont raison. Si vous faites des exercices aérobiques vigoureux, comme de la course ou de la nage, l'activité elle-même brûle de l'énergie, et votre métabolisme s'accélère pendant quelques heures, même après la fin de votre séance. Si vous faites de l'exercice qui met en cause la force brute de vos muscles, comme lever des haltères, la nouvelle masse musculaire que vous créez ainsi exige plus d'énergie, et votre métabolisme s'ajuste à cette nouvelle demande pour satisfaire vos tissus affamés.

Le problème, c'est qu'aucune de ces méthodes n'augmentera assez votre métabolisme pour que vous perdiez du poids. Si vous pouvez courir une heure par jour, vous brûlerez assurément assez de calories pour faire une percée dans vos réserves adipeuses, mais peu de gens malheureusement possèdent une telle énergie ou assez de temps pour se prêter à ce genre d'exercice.

L'exercice est-il donc inutile pour perdre du poids? Non, c'est l'exercice seul qui n'est pas très utile. Jumelé à une diète, toutefois, l'exercice vous aidera de diverses façons. D'abord, c'est qu'une meilleure musculature engendre automatiquement une hausse des besoins énergétiques du métabolisme basal. Les muscles ont des récepteurs d'insuline, et plus de muscle vous aidera aussi à capter et à utiliser le glucose de votre sang. Ainsi, votre organisme brûlera plus de sucre plutôt que de le stocker dans ses réserves.

Ensuite, c'est que l'exercice exige du corps qu'il brûle ses gras afin d'aller chercher de l'énergie. Et 30 minutes d'exercice par jour peuvent même faire en sorte de réduire votre appétit. En faire trop cependant pourrait avoir un effet contraire.

Enfin, aussi longtemps que vous continuerez de suivre votre diète à la lettre pendant la semaine et que vous tricherez seulement pendant les week-ends, la petite dépense d'énergie réalisée pendant les séances d'exercices aura un effet cumulatif.

AMI : Comment faire de l'exercice sans s'en rendre compte

Tricher sur l'exercice est facile mais, pour en retirer les effets bénéfiques, deux séances par semaine restent nécessaires. Pour les cinq autres journées, vous pouvez vous servir d'une tout autre approche. Les scientifiques américains l'appellent le « non-exercise activity thermogenesis », c'est-à-dire qu'il s'agit de stimuler la thermogenèse par des activités qui ne sont pas vraiment considérées comme des exercices physiques. Nous appellerons cela l'activité musculaire involontaire (AMI), car elle stimule les muscles sans que cela en soit le but en lui-même. Ce genre d'activité compte pour à peu près toute l'énergie que vous brûlez chaque jour au-delà de votre métabolisme basal et du processus digestif.

Comment faites-vous cela? Vous vous levez et vous bougez.

Les recherches ont montré que les personnes minces bougent ordinairement deux fois plus que les gens aux prises avec un surplus de poids. En fait, ça pourrait être la raison pour laquelle elles restent minces. Nous avons donc à apprendre d'elles. Ce n'est pas la façon de bouger qui importe mais bien le fait de bouger. Amenez votre chien en promenade. Faites les cent pas. Bougez les mains davantage quand vous discutez. Marchez dans les escaliers roulants plutôt que d'attendre qu'ils vous transportent un étage plus haut ou plus bas. Ratissez votre parterre. Époussetez vos objets. Trouvez n'importe quel prétexte pour vous extirper de votre fauteuil et faire bouger vos membres. Ne tenez pas en place. Plus vous vous agiterez, plus vous brûlerez de calories. C'est simple à ce point.

Les critiques des diètes à faible teneur en matières grasses aiment signaler que l'actuelle épidémie d'obésité aux États-Unis remonte aux années 1980, décennie où les régimes sans gras ont connu une popularité immense. D'autres changements se sont toutefois produits à cette époque, notamment la croissance des activités sédentaires (ordinateurs, jeux vidéo, magnétoscopes). Au fil des ans, bien des gens sont aussi passés des campagnes aux villes puis aux banlieues, là où l'on conduit plus souvent sa voiture qu'on ne prend ses jambes pour marcher. Des emplois exigeants physiquement ont été déplacés vers d'autres pays, laissant de plus en plus d'Américains travailler à leur bureau huit heures par jour. En d'autres mots, nous avons alors commencé à passer plus de temps assis, disons, sur nos lauriers.

Depuis lors, la situation n'a fait qu'empirer. La vie s'est bâtie autour du confort. Nous allons au restaurant ou à la banque et commandons sans sortir de la voiture. Nous passons des heures devant la télévision et l'ordinateur. Nous préférons les souffleuses à neige et les tondeuses à gazon motorisées aux bons vieux outils, plus exigeants physiquement.

En fait, à cause de tous les objets qui nous font épargner de l'énergie, les scientifiques estiment que chacun de nous brûlons, en moyenne, de 100 à 200 calories de moins par jour qu'il y a quelques décennies, ce qui est assez pour expliquer l'épidémie d'obésité qui sévit en ce moment.

10 ACTIVITÉS AMI

Un rapport du U.S. Surgeon's General nous donne quelques façons d'augmenter nos activités physiques quotidiennes. Chacune de ces suggestions brûle environ 150 calories. Bien sûr, votre intensité d'action et votre poids font varier ce chiffre à la hausse ou à la baisse.

- Laver et cirer une voiture pendant 45 à 60 minutes
- Laver les fenêtres ou les planchers pendant 45 à 60 minutes
- Jouer au volleyball pendant 45 minutes
- Jouer au « touch football » pendant 30 à 45 minutes
- Jardiner pendant 30 à 45 minutes
- Marcher 3 km en 40 minutes (un peu moins de 5 km/h)
- Jouer au basket-ball (lancer des ballons) pendant 30 minutes
- Faire de la danse sociale pendant 30 minutes
- Marcher avec une poussette sur 2,5 km en 30 minutes
- Ramasser des feuilles avec un râteau pendant 30 minutes

Blâmez Dame Nature, pas vous

« Si les personnes souffrant d'embonpoint ne bougent pas autant que les personnes minces, sont-elles grosses simplement parce qu'elles sont paresseuses? » Il n'est sûrement pas exact de tirer ce genre de conclusion.

Ce que nous savons à propos des AMI a été mis au jour par des chercheurs de la Clinique Mayo. Ils ont mis au point des expériences qui leur ont permis de mesurer la quantité d'énergie que les gens dépensent dans leurs activités quotidiennes normales. Ils ont entre autres conclu que la quantité d'AMI qu'une personne exécute est en partie due à son bagage génétique. Le type de travail que cette personne exerce a aussi un effet important, tout comme son sexe et son âge. La paresse, elle, n'a pas grand-chose à voir avec cela.

Souvenez-vous toutefois qu'avoir des prédispositions génétiques à la sédentarité ne veut pas dire que vous êtes condamné à vous écraser dans votre fauteuil. Le savoir, c'est le pouvoir. Ce que vous ne faites pas naturellement peut devenir une habitude acquise par des répétitions quotidiennes. Faites n'importe quoi sauf rester assis et vous n'aurez jamais à faire de l'exercice tous les jours pour perdre du poids.

Cependant, parce que cela présente plusieurs autres bénéfices, je vous recommande chaudement de faire trois heures d'exercice physique par semaine. J'insiste aussi pour que vous en fassiez au moins deux heures obligatoirement chaque semaine.

L'exercice

Les gens qui ne sont pas en forme, en particulier s'ils ont un surplus de poids, deviennent hyper-stressés après à peine quelques mouvements. Leurs muscles sont atrophiés et, souvent, les diètes ont épuisé leur système. Pour empirer les choses, ils se sentent humiliés de devoir porter des vêtements de sport, comme des shorts ou des collants, la plupart de ceux-ci étant conçus pour mettre en valeur des silhouettes profilées. La douleur, dans tous les sens du mot, outrepasse le bonheur de se faire du bien.

Si vous avez abandonné un programme de remise en forme par le passé, c'en était peut-être la raison. Après un mois ou deux d'un programme régulier, vous vous êtes levé un matin et vous êtes dit : « Je suis trop fatigué. Je suis trop occupé. Je suis trop… n'importe quoi. » Vous avez donc sauté cette journée d'entraînement. Puis le fait d'avoir sauté un entraînement rend la deuxième occasion plus facile à passer. Rapidement, votre programme n'existait plus. Mais à partir de maintenant, trois heures — ou au moins deux — d'exercice par semaine constitue l'un de vos objectifs à long terme.

Le bon exercice pour vous

Un exercice de faible intensité est une façon parfaite d'entreprendre votre programme. Si vous n'avez pas fait d'exercice régulièrement depuis six mois, vous n'êtes pas prêt à en faire davantage de toute façon. Pour l'instant, commencez par une promenade de 15 minutes deux fois par semaine. Au fur et à mesure que vous vous en sentirez capable, augmentez à 45 minutes (et vous vous ferez un bien immense en passant de deux à quatre marches par semaine). Le mieux, c'est de faire ces promenades après avoir mangé. Pour des raisons inexpliquées, le corps brûle 15 % plus de calories lorsqu'il se met en marche tout de suite après un repas. Si vous faites de l'exercice avant un repas, votre appétit s'émoussera un peu avant de revenir vous hanter une heure plus tard.

Si vous vous munissez de poids (aux poignets ou aux chevilles) pour augmenter votre force musculaire, je vous recommande de vous limiter à des bracelets de 5 lb pour commencer. Allez-y doucement pour éviter les blessures. Par ailleurs, trouvez quelqu'un qui pourra vous soutenir. Appelez un ami, inscrivez-vous dans un gym, embauchez un entraîneur personnel ou visitez les installations communautaires.

Pour un entraînement efficace, il faut aussi savoir vous réchauffer. Les étirements sont importants pour vous aider à rester souple et à conserver une liberté de mouvement dans chacune de vos extrémités. Ça vous aidera également à conserver l'équilibre.

PROGRAMME D'EXERCICE HEBDOMADAIRE

- Insérez au moins une AMI par jour cinq jours par semaine.

- Faites une promenade au moins deux fois par semaine. Si vous n'êtes pas en bonne condition physique, commencez avec 15 minutes de marche lente. Graduellement, augmentez à 45 minutes. Vous pouvez augmenter ensuite l'intensité de cette promenade en marchant plus vite ou sur un terrain vallonné.

- Entraînez-vous en force de 20 à 30 minutes deux fois par semaine. Faites travailler tous vos groupes de muscles, incluant l'arrière et le devant des bras, les épaules, le torse (poitrine, estomac, haut et bas du dos) et les jambes. Commencez avec une série de 8 à 12 répétitions par exercice. Lorsque vous serez plus à l'aise, augmentez le nombre de séries, ajoutez une troisième séance hebdomadaire ou changez les exercices afin de garder votre corps en alerte.

- Commencez toujours vos exercices après vous être réchauffé et étiré. Des études ont prouvé que vous pourriez ainsi brûler jusqu'à 15 % de calories de plus.

Détruire les mythes

Tout en continuant de perdre du poids grâce à *La diète des tricheurs,* vous pourriez décider de faire des exercices plus exigeants. Voilà une bonne chose, mais pas nécessairement pour perdre du poids.

Les activités aérobiques comme le jogging et le tennis n'augmenteront pas continuellement votre métabolisme. Si votre rythme métabolique est lent, il augmentera seulement pendant l'exercice et quelques heures après. Si vous désirez perdre quelques calories supplémentaires, l'exercice aérobique est excellent, mais il n'en fera pas plus qu'il ne le peut. Pour cela il vous faut user d'une AMI.

L'exercice en résistance, comme lever des poids, une activité qui permet de construire des muscles, augmente juste un peu votre métabolisme. Or les muscles exigent du carburant et le brûlent rapidement. Par conséquent, votre rythme métabolique s'élève mais pas assez pour faire une différence dans vos efforts visant à perdre du poids. Toutefois, plus vous avez une masse musculaire importante, plus vous utilisez le sucre comme carburant et moins celui-ci est stocké dans vos réserves de graisses. Cela peut avoir un effet intéressant dans le maintien des kilos perdus, mais ce n'est pas très utile pour placer la perte de poids en premier lieu.

Enfin, l'exercice, aérobique ou anaérobique, n'a pas à être intense. De la même façon que vous pouvez vous entraîner en marchant plutôt qu'en courant. Vous n'avez pas à lever des haltères de 50 lb pour savourer les bénéfices d'un entraînement en résistance, comme je l'ai appris il y a quelques années de la part de patients âgés de 85 ans habitant une maison de soins du Maryland. L'âge fait en sorte que les muscles dépérissent. Les gens âgés peuvent se retrouver dans l'incapacité de faire des choses simples comme se lever d'eux-mêmes ou marcher dans une pièce. La seule thérapie qui fonctionne pour les gens dans cette condition consiste à construire des muscles. J'ai donc pris 10 de ces personnes, dont l'âge moyen était de 85 ans, et j'ai organisé deux entraînements par semaine pendant lesquels elles devaient soulever des charges. Nous utilisions des haltères de 3 à 5 lb. En quelques mois, toutes ces personnes ont ressenti plus de force et un sentiment généralisé de mieux-être. Une femme a même pu se débarrasser de sa canne après avoir renforcé le haut de son corps. Une autre s'est révélée capable de se lever de son lit et de marcher jusqu'à sa chaise sans l'aide d'une infirmière, et ce, pour la première fois depuis des années. De l'exercice à très faible intensité a assurément des effets positifs mais, plus important encore, cela n'entraîne pas d'effets secondaires. Deux de mes patients les plus âgés souffraient de sérieuses maladies cardiaques, mais ils ont quand même pu participer aux exercices sans souffrir d'un quelconque inconfort.

Si vous êtes jeune, vous pouvez bien dire que tout cela n'a rien à voir avec vous. Si toutefois vous êtes comme la plupart des personnes souffrant d'embonpoint ou d'obésité, vous avez sûrement suivi plusieurs diètes, et celles-ci ont réduit la quantité de nourriture que vous pouvez manger. Vous avez perdu du poids mais, si vous ne vous entraîniez pas, la majeure partie du poids perdu était liée à la perte de tissu musculaire. Être jeune ne vous protège pas de cela, et vous pourriez être plus faible et avoir moins de résistance que vous pensez. Ainsi, jeunes et moins jeunes commencent lentement et augmentent graduellement la durée de leurs exercices ou la quantité de poids à lever.

Des trucs pour l'exercice

Le truc le plus important consiste à consulter un spécialiste de la santé et à faire le portrait précis de sa condition avant de commencer un programme d'exercices. L'exercice physique stresse votre organisme et vous devez être sûr qu'une activité vigoureuse ne représente pour vous aucun danger. Après avoir obtenu un bilan de santé, souvenez-vous qu'il existe quelques rudiments de base pour s'assurer une action santé sécuritaire et productive.

Échauffez-vous et relaxez-vous

Avant de commencer votre routine, marchez, joggez lentement ou allez-y de n'importe quel mouvement impliquant tout votre corps. Bref, suez légèrement pendant 8 à 10 minutes. Vous en retirerez bien des avantages. Réchauffer votre corps de cette façon augmente votre rythme métabolique de base, rehausse l'irrigation sanguine des muscles, assouplit vos muscles, produit un fluide permettant de lubrifier vos articulations et prépare votre cœur à une activité plus intense. Par ailleurs, gardez vos étirements pour plus tard. En fait, faites-en une partie du processus de refroidissement du corps à la fin de votre routine. Les étirements ne réchauffent pas le corps. Qui plus est, étirer des muscles froids peut provoquer des blessures.

Le refroidissement du corps commence quant à lui avec le même genre de mouvements que le réchauffement. De la même façon, les mouvements doivent être légers et pas trop brusques. Une simple marche est probablement le moyen le plus facile et pratique d'y arriver. Ce que vous voulez alors, c'est de donner une chance à votre respiration et à votre rythme cardiaque de revenir à la normale afin de ne pas développer d'arythmie. L'idée consiste à laisser vos pulsations cardiaques baisser à 120 ou moins. C'est alors que vous pourrez vous étirer.

Étirez-vous correctement

Les étirements vous permettent de garder des articulations plus flexibles, car ils enseignent aux muscles qui les entourent qu'ils peuvent se relaxer. De récentes études ont même démontré qu'ils augmentent la force et l'endurance et qu'ils améliorent la posture. Plusieurs exercices d'étirement sont statiques, c'est-à-dire que pour les faire on prend une position que l'on conserve pendant un moment. Retenez ce qui suit :

• Étirez-vous de façon à ressentir de la résistance dans vos muscles, pas de la douleur.

• Chaque mouvement devrait être lent et contrôlé. Ne sautillez pas pour aller plus loin dans vos étirements.

• Maintenez chaque position d'étirement de 30 à 60 secondes. Cela donnera le temps à vos muscles de se relaxer et d'apprendre à se sentir à l'aise dans les positions d'étirement.

• Soyez patient. Certaines personnes deviennent flexibles rapidement, alors que d'autres doivent prendre leur mal en patience. Il n'y a pas d'urgence, et pousser votre corps trop loin peut mener à des blessures.

• Souvenez-vous de garder vos muscles bien chauds et de ne jamais étirer des muscles refroidis, ce qui pourrait entraîner des déchirures. Comme je l'ai déjà mentionné, cette partie de votre routine est plus efficace si vous la faites en seconde partie de votre récupération.

Les poids

Lever des poids augmente la masse musculaire, la force et l'équilibre tout en aidant à gagner une belle silhouette. Si vous êtes débutant, utilisez des machines ou des poids fixes, qui ne risquent pas de tomber et de vous blesser.

Pour améliorer les résultats, vous devez faire travailler tous les muscles de votre corps deux fois par semaine et ne jamais solliciter les mêmes muscles deux jours consécutifs (à l'exception de l'abdomen et des mollets, qui peuvent être mis en action aussi souvent que vous le voulez). Chaque fois que vous lèverez un poids, il s'agit d'une répétition. Un groupe de répétitions s'appelle une série. Une série de 12 répétitions signifie que vous faites le même mouvement 12 fois avec un poids. Après, vous vous reposez ou passez à un autre mouvement ou exercice. Si vous avez une routine impliquant tout le corps, ce qui ne devrait pas prendre plus de 20 ou 30 minutes, faites une série de 8 à 12 répétitions afin de solliciter chacun des groupes de muscles suivants :

- Poitrine
- Haut du dos
- Bas du dos
- Épaules
- Biceps (partie antérieure et superficielle du bras)
- Triceps (muscle qui étend l'avant-bras)
- Cuisses (avant et arrière)
- Fesses
- Abdomen

Levez assez de poids pour rendre les deux ou trois dernières répétitions plus difficiles, pas au point cependant de ne plus être capable de terminer la série. Dans ce cas, vous éprouveriez sûrement de la douleur, ce qui pourrait vous décourager face à votre routine.

Les exercices abdominaux sont excellents pour renforcer les muscles du ventre. Cela vous aidera à rétablir l'équilibre et vous donnera un meilleur soutien du dos. Ne vous attendez pas à développer tout de suite des abdominaux découpés comme ceux des culturistes. Pour cela, il faut perdre la couche de graisse qui recouvre le tronc et exécuter des exercices spécifiques. La présence d'un entraîneur devient alors souhaitable.

L'ENTRAÎNEMENT EN CIRCUIT

Pour une séance d'exercices complète, faites des mouvements qui mettront votre cœur à l'épreuve et qui augmenteront votre résistance (marcher, courir, nager, etc.), des mouvements anaérobiques qui amélioreront votre force et votre équilibre (lever des poids, exercices de callisthénie, etc.) ainsi que des étirements qui amélioreront votre flexibilité (yoga, entre autres). Ça semble trop à insérer dans votre horaire? Une façon de raccourcir votre séance d'exercices mais d'en retirer tous les bénéfices consiste à combiner les exercices aérobiques et les épreuves de force. Cela s'appelle l'entraînement en circuit.

Un entraînement en circuit fonctionne avec des poids légers (des bracelets totalisant environ 10 % de votre poids) avec très peu ou pas du tout de repos entre les exercices. Je vous recommande de faire fonctionner vivement ces parties de votre corps pendant 30 secondes chacune, en passant immédiatement de l'une à l'autre ou en joggant sur place pendant quelques secondes entre chacun des exercices :

- Poitrine
- Devant des cuisses
- Haut du dos
- Derrière des cuisses
- Épaules
- Mollets
- Biceps
- Fesses
- Triceps
- Abdomen

En quelques semaines, vos muscles seront plus fermes, votre taille, plus svelte, et votre résistance aura augmenté substantiellement.

Exercices aérobiques

Les exercices aérobiques donnent accès à plusieurs effets bénéfiques pour la santé. Ils améliorent la force de votre cœur, augmentent la quantité de globules rouges dans le sang, ce qui permet de transporter plus d'oxygène, aident à ralentir votre rythme cardiaque (au repos mais aussi pendant vos séances d'exercices), engendrent la formation de vaisseaux sanguins, abaissent la pression sanguine, aident à diminuer le taux de cholestérol et à atténuer la présence des autres matières grasses dans le sang, et stimulent le corps dans sa production d'enzymes permettant de brûler les graisses.

Pour obtenir le maximum des exercices aérobiques, ceux-ci doivent faire partie de votre routine plus de deux fois par semaine. Si vous faites des activités de type AMI de façon très vigoureuse, comme monter des marches deux par deux ou le plus vite que vous pouvez, vous obtiendrez un effet aérobique. Ainsi, votre cœur battra plus vite et vous augmenterez votre apport d'oxygène pendant quelques minutes.

Si vous ramassez des feuilles avec un râteau ou tondez le gazon, augmentez votre rythme du quart. Mieux encore, marchez autant que vous le pouvez. Stationnez votre voiture plus loin que prévu de votre destination et marchez. Lorsque vous allez au centre commercial, faites une promenade rapide d'un bout à l'autre de l'allée principale avant d'entrer dans un magasin. Transformer votre AMI en activité aérobique de 25 à 30 minutes par jour est facile, et les bénéfices sont aussi importants que de passer du temps sur un tapis roulant, un « Step Master » ou n'importe quelle autre machine.

Finalement, en matière d'exercices, il est important de vous fixer un objectif, qu'il s'agisse de temps, de performance ou de résultats physiques. Chaque fois que vous atteignez un but, vous serez encouragé à poursuivre dans cette voie santé.

10

Éclipsez votre plateau

Atteindre un plateau lorsque vous tentez de perdre du poids est une chose terrible. Comme une goélette que n'a plus de vent dans les voiles, vous croyiez pouvoir arriver à destination et, l'instant d'après, vous ne pouvez plus avancer. Les jours, les semaines et les mois passent sans résultat tangible. Une personne à la diète qui se frotte à un plateau peut facilement éprouver de la frustration et sombrer dans le désespoir.

Un plateau peut être humiliant. C'est le corps qui manifeste ainsi son pouvoir de suivre sa propre voie, et il peut alors devenir impossible de perdre ne serait-ce qu'un seul kilo. Mais tout bon capitaine a toujours un as dans sa manche. Avec quelques connaissances et de l'ingéniosité, il peut mettre en marche un moteur d'appoint et se passer du vent.

Les tricheurs gagnent

Lorsqu'on atteint un plateau, c'est souvent à la suite d'une longue diète suivie continuellement. Le corps s'adapte et devient plus efficace à se faire des réserves plutôt qu'à brûler son carburant.

Instinctivement, les gens qui se retrouvent sur un plateau ont le réflexe de manger moins. Voilà une grave erreur. Premièrement, vous aurez faim, très faim. Même si vous n'avez pas accès à de la nourriture, vous priver ainsi sera extrêmement difficile. Pour empirer les choses, votre métabolisme sera jusqu'à un certain point plus efficace dans ses dépenses énergétiques. Vous pourriez manœuvrer de façon à perdre encore un kilo, mais vous vous rendrez à votre appétit et commencerez à manger davantage. C'est alors que votre corps, convaincu qu'il aura à affronter une prochaine famine, déposera tout ce que vous lui donnerez dans ses réserves, autour de la taille. Votre poids se remettra donc à monter sans que vous sachiez quoi faire pour l'arrêter.

Quelques patients très entêtés ne changent pas leurs habitudes alimentaires lorsque le pèse-personne refuse de bouger. Ils se convainquent de prendre leur mal en patience. Parfois, cela finit par rapporter des dividendes. Le corps semble alors comprendre qu'il n'y a pas vraiment péril en la demeure. Il relâche donc ses défenses et libère un peu de ses réserves adipeuses. Mais la plupart du temps, attendre ne donne rien. Le pèse-personne se stabilise et ne bouge plus. La personne à la diète se résigne donc à ne pas reprendre le poids perdu.

Au point mort

Ce dont vous avez besoin et ce que vous devriez faire lorsque votre perte de poids semble au point mort, c'est suivre la diète des tricheurs. Mangez plus pendant de courtes périodes de temps, gardez votre métabolisme en état d'alerte et surprenez-le. En fait, il est fort probable que dans ce cas vous ne rencontrerez jamais de plateau ou alors, si ça arrive, ça ne durera que quelques jours. Toutefois, si vous êtes au point mort, ne désespérez surtout pas. Manger trop peu pendant trop longtemps est la cause la plus commune de l'apparition d'un plateau, mais ce n'est pas la seule.

Vous vous pesez trop souvent

Il se peut que ce que vous croyez être un plateau ne soit pas du tout cela. Peut-être portez-vous trop attention à votre pèse-personne, qui montre des fluctuations normales de jour en jour. Le fait de peser une livre de plus aujourd'hui ne signifie pas que votre programme amaigrissant ne fonctionne plus. D'autres facteurs sont peut-être en jeu. Par exemple, des mets salés ou le syndrome prémenstruel peuvent causer de la rétention d'eau, ce qui peut ajouter quelques livres à votre poids. À l'opposé, une sudation importante ou des envies d'uriner fréquentes peuvent le faire baisser légèrement. Attardez-vous seulement à la perte de poids à long terme et non aux variations journalières.

Une façon d'y arriver consiste à vous peser tout au plus une fois par semaine. Cela vous donnera une idée plus réaliste de votre poids. Par contre, vous devez considérer cette donnée dans une perspective plus large : comparez les variations de votre poids sur une période de plus d'un mois et pas seulement d'une semaine à l'autre. Vous pouvez aussi vous peser chaque jour. Dans ce cas, faites un graphique et indiquez-y d'un point votre poids quotidien ou hebdomadaire pendant plusieurs semaines : l'axe horizontal représente les jours, et l'axe vertical, votre poids. Tracez une ligne pour relier tous les points et observez la tendance. Parce que vous ne perdez pas seulement du poids autour de la taille, vous pourriez constater une stagnation de ce côté. Observez donc d'autres parties de votre corps, notamment votre cou. Vous remarquerez peut-être que votre col vous serre un peu moins qu'avant, ce qui serait un très bon signe.

Vous avez des attentes irréalistes

Avez-vous déjà vu ces émissions de téléréalité où des participants doivent atteindre des objectifs de perte de poids chaque semaine? « Votre objectif, cette semaine, est de perdre 2,5 kg. » Eh bien, il n'y a rien de réel là-dedans. Tout le monde perd du poids à son propre rythme. Parfois, c'est plus vite, parfois, ça prend plus de temps. Pour rester en bonne santé, personne ne devrait perdre plus de 1,5 kg par semaine en moyenne. Au début, plusieurs personnes perdent beaucoup de poids en peu de temps. C'est probablement parce que le corps se vide de son excès d'eau. Après cela, la perte de poids ralentit pour atteindre une moyenne de 1 % du poids corporel par semaine. Cela signifie que des personnes plus corpulentes perdront plus de poids que des personnes plus minces. En fin de compte, des études montrent qu'une perte de poids plus lente permet au corps de brûler davantage dans ses réserves adipeuses plutôt que dans ses muscles. Ainsi, si vous avez l'impression d'être la tortue courant contre un lièvre, vous pourriez être le vrai vainqueur. En tout cas, ne confondez pas une perte de poids plus lente avec un plateau.

Vous faites trop d'exercice

Tout ce qui fait en sorte de puiser dans les réserves calorifiques fait en sorte que le corps prend des notes. Si votre régime vous oblige à brûler trop vite les calories bien installées dans vos réserves, comme vous le savez maintenant, votre corps se met en état d'inanition, devient très efficace et commence à remplir son système d'appoint, c'est-à-dire ses réserves de graisses. L'exercice peut engendrer le même genre de réaction. Normalement, nous croyons que l'exercice donnera un coup de pouce au métabolisme, ce qui ferait en sorte que votre corps brûlera plus de graisses que si vous restiez assis. Toutefois, si vous faites trop d'exercice, votre corps ressent cette fuite des calories et tente de stopper l'hémorragie. Vous revenez donc en état d'inanition, le même état que celui résultant de la privation d'aliments. Ainsi, si une augmentation de la fréquence ou de l'intensité de votre entraînement coïncide avec l'apparition d'un plateau, coupez un peu sur l'exercice. Pour une bonne santé, essayez de perdre environ 1 000 calories par semaine à l'aide d'exercices physiques. Cela se traduit par au plus une heure d'entraînement par jour, du début de l'échauffement à votre entrée dans la douche.

LE GRAND PLATEAU

La plupart des plateaux durent au plus quelques semaines. Il peut vous sembler, après avoir suivi toutes mes recommandations, que ces semaines se transforment en mois, et que vous ne pourrez plus perdre une seule livre. C'est que votre corps essaie de vous dire quelque chose, alors écoutez-le. Vous avez atteint votre objectif. Ce n'est peut-être pas celui que vous vous étiez fixé, mais celui-ci était peut-être irréaliste. Trop de gens dans la quarantaine ou la cinquantaine croient qu'ils pourront retrouver leur taille de jeunesse. Malheureusement, la réalité en décide parfois autrement. Une fois que votre corps a trouvé une nouvelle zone de confort, presque rien au-delà de l'état d'inanition — même pas l'ajout de médication — ne peut le convaincre d'aller plus bas. L'idée consiste à perdre autant de poids que possible avec une alimentation saine et des exercices physiques. Même une petite perte de poids peut faire en sorte de vous apporter des bénéfices en matière de santé et de vous faire paraître de votre mieux. Donnez-vous donc une tape dans le dos, dites-vous que vous avez bien travaillé et appréciez votre nouvelle zone de confort.

Vous êtes un ballon d'eau

Vous n'avez qu'à transporter un seau d'eau sur quelques mètres pour vous rendre compte à quel point les fluides pèsent lourd. C'est vrai même à l'intérieur de l'organisme. Dans certaines conditions, vos tissus s'imbibent d'eau comme une éponge. C'est parce que votre corps est aussi futé en matière de réserves d'eau qu'en matière de nourriture.

Lorsque vous avez soif, vous accumulez de l'eau dans vos cellules pour rester hydraté, de la même façon que vous stockez des calories quand vous avez faim. Ainsi, boire plus d'eau peut aider à éliminer la rétention parce que plus de liquide diminue la soif. Pour éviter de faire augmenter la soif et la rétention, évitez la salière et les aliments salés (laissez tomber les arachides) pendant quelques jours.

Assurez-vous également de faire de l'exercice. Plus vous suez, mieux c'est. Finalement, mangez des fruits contenant du potassium, un minéral qui vous fera évacuer l'excès d'eau. Le cantaloup, le melon miel et les bananes en sont des exemples, mais ils contiennent aussi beaucoup de sucre. Contentez-vous d'en manger la fin de semaine. Mangez des oranges à la place.

Si votre plateau semble lié à de la rétention d'eau, ces quelques trucs vous aideront. Par ailleurs, si vous remarquez des gonflements dus à la rétention d'eau dans vos bras, vos jambes, vos mains, vos pieds ou votre tronc, voyez votre médecin. Cela peut trahir un désordre plus sérieux.

Vous êtes sur-stressé

Les gens qui subissent un plateau éprouvent souvent un haut niveau de stress. C'est habituellement un mauvais type de stress, mais pas toujours. Souvenez-vous que tout changement dans votre vie peut faire monter la pression dans votre marmite! Déménager dans une nouvelle maison ou gagner à la loterie peut vous stresser autant qu'un divorce, un congédiement ou la réception d'un compte de taxes.

Le stress engendre souvent de fâcheuses conséquences sur votre diète. D'abord, il arrive souvent que les gens se mettent à manger davantage lorsqu'ils sont stressés. Ils mangent même s'ils n'ont pas faim. Parfois, ils ne se rendent pas compte de ce qu'ils mangent avant d'être remplis au-delà du possible.

Manger de cette façon est probablement lié à une baisse de sérotonine dans le cerveau. Un organisme stressé libérera aussi du cortisol, qui peut déclencher le stockage du gras et ainsi stopper la perte de poids. Notez par ailleurs que les pilules qui contiendraient un agent inhibiteur du cortisol sont des inventions issues de l'imagination d'experts en marketing. La seule façon de stopper la production de cortisol consiste à reconnaître que vous êtes stressé et à apporter les correctifs nécessaires. Si votre vie ressemble à un feuilleton télévisé, essayez de vous réconcilier avec vos proches. Si vous avez des problèmes avec vos collègues de travail ou avec votre patron, tentez d'ouvrir des portes afin d'améliorer les communications. Si vous souffrez de la perte d'un être cher, accordez-vous une période de deuil. Si vous ne faites pas déjà de l'exercice, profitez-en pour commencer. Prenez aussi du temps pour méditer ou, si vous préférez, pour prier. Et si vous vous rendez compte que vous ne pouvez gérer votre stress tout seul, faites appel à de l'aide professionnelle.

Vous trichez

Vous n'attendez pas le week-end pour manger des aliments interdits et les semaines sont éreintantes, je sais. Non seulement devez-vous aller au travail ou à l'école, mais vous devez le faire à la diète! Lorsque vous rangez les restes d'un repas, vous vous permettez quelques bouchées supplémentaires. Peut-être agissez-vous d'instinct, et vous mâchez et avalez avant de vous rendre compte de ce que vous faites? Ou alors vous succombez à des rages un peu trop souvent. Le problème, c'est que toutes ces tricheries peuvent vous forger un beau plateau. Vous devez donc utiliser de nouvelles stratégies qui les éviteront. Plusieurs ouvrages vous suggèrent de tenir un cahier de bord et de noter tout ce que vous mangez. C'est une bonne idée, et elle fonctionne lorsque les gens s'y appliquent. L'ennui, c'est qu'ils ne s'y appliquent pas souvent. Voici donc mes suggestions pour réduire ces problèmes de tricheries :

• **Prenez un temps mort.** Attendez 15 minutes avant de succomber à une rage de bouffe. Normalement, elle devrait passer. Ça prend à peu près autant de temps pour se sentir rassasié après un repas. Attendez donc ce petit quart d'heure avant de vous servir une autre portion.

• **Brossez-vous les dents après le repas.** Un bon brossage après un repas ne fait pas que garder les dents propres; cela vous décourage de manger davantage. Une fois que vous vous êtes rafraîchi la bouche, le goût du dentifrice se marie mal avec d'autres aliments.

• **Mettez-vous à poil!** C'est vrai. Retirez tous vos vêtements, installez-vous en face d'un grand miroir et commencez à manger. Je vous garantis que vous mangerez beaucoup moins. Après avoir fait cela quelques fois, vous pourriez être surpris de constater à quel point vos habitudes alimentaires ont commencé à changer.

Mettez du gras dans votre assiette

Les personnes à la diète souffrent parfois de malnutrition parce qu'elles ne mangent pas assez d'aliments sains, surtout les gras. Souvenez-vous que consommer de petites quantités de matières grasses est absolument nécessaire pour permettre à votre corps de fonctionner normalement. Lorsqu'il n'a pas ce dont il a besoin, le corps compense. Si vous ne lui donnez pas les matières grasses dont il a besoin, il conservera celles qu'il a. Et vous atteindrez un plateau.

La solution est simple : mangez plus de bons gras, soit au moins une portion de plus par jour. Mangez plus de thon, d'œufs, de saumon et de sardines. Prenez des collations d'arachides non salées plus souvent et des noix la fin de semaine. Cuisinez avec de l'huile de canola et de l'huile d'olive. Prenez des suppléments d'huile de poissons. Cela réveillera votre métabolisme et vous permettra de brûler à nouveau les graisses. N'ayez pas peur de manger davantage. Il y a tellement de gens qui développent une peur des aliments pendant leur diète… C'est très triste. Pensez à eux lorsque vous augmenterez votre ingestion de bons gras et perdrez du poids.

Vous avez besoin de plus de protéines

Manger des protéines entraîne une perte de poids, mais laissez-moi ajouter que les protéines n'ont pas à remplacer et ne devraient pas remplacer les fruits et légumes frais. Vous devriez manger des protéines au moins trois fois par jour, mais si vous frappez un plateau, essayez d'ajouter une ou deux portions supplémentaires. Manger du saumon, du thon et des graines de soya augmentera votre consommation de protéines et de bons gras à la fois. Vous pouvez aussi essayer des laits fouettés protéinés, comme ceux à base de lactosérum (petit-lait). Le yogourt sans gras ou faible en gras est un autre bon choix, mais soyez certain qu'il n'a pas de sucre ajouté. Le mieux, c'est de prendre un yogourt non sucré et de l'agrémenter d'un fruit ou d'un édulcorant.

Vous buvez les mauvais liquides

Certaines personnes à la diète sont très attentives à ce qu'elles mangent, mais elles ne portent pas autant d'attention à ce qu'elles boivent. Ignorer les effets de la consommation de boissons sur le poids peut avoir des répercussions brutales. Les jus sucrés, les boissons gazeuses et les cafés spécialisés peuvent ajouter une grande quantité de calories à votre menu quotidien. L'alcool aussi peut vous jouer des tours. Vous feriez mieux de le garder pour la fin de semaine. Le café et le thé, consommés modérément, peuvent avoir de bons effets s'ils sont sucrés non pas avec du sucre mais à l'aide d'un édulcorant. Si vous aimez les jus de fruits, préparez-les avec des fruits frais et n'ajoutez pas de sucre. Les boissons gazeuses diète sont acceptables, avec modération cependant. Si vous avez soif et que vous désirez un léger parfum dans votre eau, ajoutez-y une tranche de citron et un peu d'édulcorant.

Vous ne dormez pas assez

Si vous voulez perdre du poids, vous devez être actif, mais il vous faut aussi prendre du repos. Et par « repos », je veux dire « sommeil ». Si vous découvrez que vous ne dormez pas assez, vous pourriez avoir trouvé la raison pour laquelle vous avez atteint un plateau. Des chercheurs qui ont suivi 500 personnes pendant 30 ans ont découvert que celles qui dormaient le moins étaient les plus susceptibles d'être obèses, parce que :

• Dormir peu vous donne plus de temps pour manger.
• Le taux de leptine dans le cerveau baisse lorsque vous dormez peu. La leptine est une hormone qui dit au corps d'arrêter de stocker les matières grasses. Lorsque son taux est bas, votre ventre, vos cuisses et vos fesses ont tendance à prendre de l'expansion.
• Votre cerveau considère le peu de sommeil comme une attaque envers votre corps, et il augmente ainsi le taux de cortisol afin de se défendre. Plus de cortisol égale moins de perte de poids.

Si vous ne dormez pas assez, allez au lit plus tôt. Si vous avez des troubles du sommeil, parlez à un spécialiste de la santé des solutions qui vous aideront à affronter ce problème.

Vous prenez des médicaments

Plusieurs médicaments peuvent vous faire gagner du poids ou stopper la perte de poids. En fait, les médicaments peuvent non seulement causer des plateaux, mais ils sont aussi l'un des principaux déclencheurs augmentant la zone de confort du corps. Comme vous le savez, une fois que votre zone de confort se stabilise à un point plus élevé, la faire redescendre devient très difficile. Par contre, déterminer si les médicaments sont responsables de votre plateau peut être délicat.

Parfois, trois mois se seront écoulés avant qu'ils ne commencent à affecter votre poids. Il est donc facile de ne pas les considérer lorsqu'on essaie de savoir ce qui a causé le plateau. Voici une liste partielle des médicaments qui peuvent causer une stagnation dans votre perte de poids et même vous faire prendre des kilos :

- La plupart des antidépresseurs
- La plupart des antihistaminiques
- Les médicaments visant à améliorer la pression sanguine, en particulier les bêta-bloquants et les diurétiques
- Les médicaments contre la migraine, comme les bêta-bloquants et les anticonvulsivants
- Les médicaments antipsychotiques et bipolaires
- Les agents hypoglycémiques oraux
- Les corticostéroïdes

Les médicaments ne contiennent pas de calories, mais ils contreviennent au processus de perte de poids possiblement en activant les gènes de l'obésité. Si aucune autre raison ne semble expliquer votre plateau, consultez un professionnel de la santé.

Fiez-vous à la sagesse de votre organisme

Si vous atteignez un plateau et que rien ne semble vouloir vous permettre de recommencer à perdre du poids, votre corps est peut-être en train de vous dire que vous avez atteint le poids pour lequel il est « programmé ». Ne vous en inquiétez pas et ne soyez pas déçu. J'ai reçu des patients qui s'étaient fixé de très hauts objectifs, par exemple de perdre 50 kg, et qui l'ont manqué de peu en arrêtant, par exemple, à 48. Il m'est arrivé d'en voir sombrer dans de profondes dépressions parce qu'ils étaient incapables de perdre les 2 kg restants. Votre objectif est un outil pour perdre du poids. N'en devenez pas l'esclave.

Célébrez plutôt! Vous avez accompli un grand exploit. Vous avez permis à votre corps d'accéder à une meilleure santé, vous vous sentez en meilleure forme et vos vêtements vous vont comme un gant. C'est le temps d'être fier de vous et de vous montrer sous votre nouveau jour.

11

Des questions ?

Ce chapitre comprend quelques-unes des questions qui m'ont été posées le plus souvent par mes patients. Les réponses vous éclaireront sur certains points avancés dans cet ouvrage et effleureront d'autres sujets. À ce point-ci, vous avez toutefois une bonne idée de ce qu'il faut faire pour avoir du succès avec la diète des tricheurs. En conclusion, soyez confiant : votre avenir sera fait d'excellents repas, de plaisir à tricher et de succès dans l'atteinte d'un objectif de perte de poids.

Q : Quels féculents peut-on manger sur semaine et lesquels sont acceptables la fin de semaine?

R : Les grains entiers sont évidemment les meilleurs. Vous pouvez les ajouter à vos recettes ou en servir une portion sous forme de plat d'accompagnement à n'importe quel repas. Les pains, en particulier les pains blancs, sont toutefois trop engraissants pour être mangés sur semaine. Les pains denses, lourds et foncés sont les meilleurs pour vous — et généralement, ils sont plus savoureux —, mais limitez-vous à en manger le week-end seulement. Les pâtes, les ignames et le riz brun sont excellents s'ils sont consommés avec modération, soit une portion par repas.

Lorsque arrive le samedi, vous pouvez vous permettre des pommes de terre, du riz blanc et du pain blanc, mais soyez raisonnable. Limitez-vous à trois portions par jour. Dans le cas du pain, une portion équivaut à une tranche. Dans les autres cas, employez la méthode consistant à diviser votre assiette en quatre sections. Quant au maïs, riche en sucre, il s'agit d'un aliment à réserver pour la fin de semaine. Un épi de grandeur moyenne équivaut à une portion.

Q : Pendant les week-ends, suis-je limité à tricher avec les aliments énumérés dans ce livre?

R : Non. Vous pouvez tricher avec n'importe quoi pendant les fins de semaine, en autant que vous contrôliez vos portions et que vous ne vous gaviez pas. Bien sûr, en tant que médecin, je préfère que mes patients fassent des choix santé. Il y a vraiment des bienfaits à consommer de la bière, du vin, du chocolat, des noix et du fromage avec modération. Le truc, c'est d'y aller modérément, comme avec les brioches à la cannelle.

Q : **J'ai remarqué que mon corps semble parfois plus mince, même si je n'ai pas perdu de poids. Est-ce possible?**

R : Certaines personnes perdent beaucoup de poids avant de constater des changements sur leur apparence, mais perdre au niveau du tour de taille avant de perdre des kilos semble assez inusité. Plusieurs de mes patients ont affirmé que la taille de leurs vêtements avait rapetissé sans qu'ils aient perdu un seul kilo. Je ne sais pas pourquoi ça arrive. Peut-être que l'exercice resserre les muscles, ce qui aurait pour effet de rendre la taille plus compacte, mais l'exercice ne fait pas partie du mode de vie de tous les gens qui m'ont fait part de cela. Vous pouvez cependant être sûr d'une chose : si vous perdez au niveau du tour de taille, vous perdrez aussi des kilos éventuellement. Vous pourriez devoir attendre une semaine ou deux, mais ça arrivera. Entre-temps, considérez la réduction de votre tour de taille comme un signe que quelque chose de bien se prépare.

Q : **Comment pouvez-vous affirmer que l'exercice n'a que peu d'effet sur la perte de poids alors que tout le monde semble penser le contraire?**

R : L'exercice physique en lui-même n'est pas un moyen très efficace de perdre du poids. Les infopublicités vantant les mérites de machines et de programmes d'exercice comportent toutes un désaveu du genre : « Ce produit peut aider à perdre du poids lorsqu'il fait partie intégrante d'un programme incluant une diète amaigrissante. » Qui se moque de qui ici?

Le corps humain a eu des milliers d'années pour développer des moyens de s'alimenter en carburant lors d'exercices physiques. S'il ne l'a pas fait mieux que ce que nous constatons aujourd'hui, s'il n'a pas fait les ajustements génétiques nécessaires, c'est parce que, autrement, les gens qui vivent d'efforts soutenus comme les chasseurs, les guerriers et les cueilleurs se retrouveraient vite dépourvus de toute énergie. Toutefois, l'exercice a son mot à dire en matière de gestion du poids. Si vous en faites régulièrement, il peut vous permettre de poursuivre votre objectif de perte de poids et, pour des raisons qu'on s'explique encore très mal, il peut faire en sorte que le corps se mette à choisir précisément la source de matières grasses qu'il utilisera pour combler ses besoins en énergie. Par exemple, de récentes études montrent que les gens qui font de l'exercice ont tendance à réduire un type de gras très dangereux qui s'accumule autour des organes internes.

Rappelez-vous que si vous n'êtes pas suffisamment actif, vous déclencherez une activité musculaire involontaire (AMI). Plusieurs de mes patients qui apprécient cette approche se munissent d'un podomètre portatif, disponible partout, afin de se donner des objectifs de pas à accomplir pendant une journée. Certains de ces petits appareils peuvent aussi vous indiquer la quantité de calories que vous avez brûlées en marchant.

Q : Est-ce vrai que l'exercice peut faire prendre du poids s'il ne s'accompagne pas d'une diète?

R : Vous pouvez bien sûr gagner du poids en vous entraînant, et je ne parle pas d'un poids lié à la masse musculaire. Alors que l'exercice modéré — jusqu'à une heure consécutive d'activité physique par jour — peut émousser votre appétit, trop d'exercice peut l'augmenter. Si vous mangez plus, naturellement, vous serez plus susceptible de gagner du poids. Ainsi, si vous avez faim après une séance d'entraînement, changez de routine. L'entraînement en puissance risque davantage de causer cet effet que les exercices aérobiques. En coupant sur vos poids et haltères, vous pourrez donc augmenter le temps passé à marcher, à courir ou à nager.

Q : L'hypothyroïdie peut-elle me faire grossir?

R : Il arrive souvent que des gens croient que leur excès de poids est dû à une insuffisance de la glande thyroïde, mais c'est rarement le cas en réalité. Toutefois, si vous avez une glande thyroïde paresseuse, vous trouverez extrêmement difficile de perdre du poids. Normalement, je ne mesure pas l'activité thyroïdienne de mes patients, à moins que ceux-ci semblent incapables de perdre du poids peu importe la méthode utilisée, incluant les médicaments. Lorsqu'un problème de glande thyroïde se manifeste, je prescris des hormones, mais celles-ci n'entraîneront pas d'elles-mêmes une perte de poids. Elles permettent simplement à l'organisme de répondre adéquatement aux aliments. Par conséquent, un régime alimentaire sain et un programme d'exercices demeurent nécessaires. Des suppléments hormonaux de ce type peuvent avoir un autre effet bénéfique : ils donnent un peu d'énergie, ce qui aide les patients à devenir plus actifs.

Q : En quoi les médicaments peuvent-ils faire prendre du poids?

R : Le corps est un système de connexions chimiques complexes et délicates, et y ajouter d'autres substances malmène ce fragile équilibre. Cela peut résulter en un gain de poids. Si un médicament augmente le taux d'insuline, baisse celui de la sérotonine ou s'introduit dans le processus de votre métabolisme énergétique, vous pourriez très vite avoir à vous acheter des vêtements plus grands. Heureusement, parfois, l'effet n'est pas que temporaire. Mais si vous êtes génétiquement prédisposé à stocker les matières grasses efficacement, certains médicaments peuvent avoir un effet déclencheur. Votre zone de confort a alors des chances d'augmenter, tout comme votre poids. Si cela se produit, une fois que vous aurez terminé de prendre vos médicaments, vous ne perdrez pas automatiquement les kilos gagnés, comme vous pourriez vous y attendre. J'ai énuméré quelques médicaments coupables au chapitre 10, mais j'ai constaté des gains de poids chez des patients qui consommaient d'autres types de médicaments, et même des antibiotiques.

Q : **Devrais-je prendre un supplément de vitamines et de miné-raux avec mes repas?**

R : Un régime faible en glucides, modéré en matières grasses et offrant une belle variété d'aliments devrait vous procurer les éléments dont vous avez besoin. Par ailleurs, certains suppléments semblent avoir des effets bénéfiques additionnels. Voici les cinq principaux :

1. **Capsules d'huile de poissons (oméga-3).** L'huile de poissons est bonne pour le système circulatoire, et des recherches ont sug-géré qu'elle pourrait prévenir la mort subite causée par des crises cardiaques. Allez-y pour une dose de une à quatre capsules par jour, avec des aliments.

2. **Acide folique.** Vitamine du groupe B, l'acide folique est impor-tant pour les femmes enceintes, car il prévient certaines malfor-mations chez le nouveau-né. Il existe aussi des preuves qu'il prévient les accidents vasculaires cérébraux, l'apparition des cancers colorectaux, de la vessie et du sein. Plus important encore, l'acide folique diminue le taux sanguin d'une hormone appelée homocystéine, laquelle peut augmenter vos risques de subir une crise cardiaque autant que peuvent le faire la cigarette et un haut taux de cholestérol. Les sources naturelles d'acide folique incluent les asperges, le brocoli, les avocats, les choux de Bruxelles, les haricots, les lentilles, les oranges, la dinde, le chou et les épinards. En supplément, prenez 800 mg par jour.

3. **Lycopène.** Cette substance peut vous protéger contre les cancers de la prostate, du sein, des poumons, de l'estomac et du col de l'utérus, entre autres. Vous en trouverez dans la tomate, le pam-plemousse rose et le melon. Allez en chercher autant que vous le pouvez dans vos aliments, et n'oubliez pas de consommer ces denrées avec une source de matières grasses comme le fromage. Sous forme de supplément, prenez 10 mg par jour en même temps qu'une capsule d'huile de poissons.

4. **Vitamines du complexe B.** Les études ont tracé des liens entre de hauts taux de vitamines du groupe B dans le sang et une réduction significative des risques de subir une crise cardiaque. Certaines personnes croient aussi que les vitamines du groupe B donnent un bon coup de pouce à l'équilibre psychologique, mais les preuves en ce sens restent controversées. Nous savons cependant que les vitamines du groupe B influent sur plusieurs systèmes et processus du corps humain. Prenez de 100 à 150 mg par jour de vitamines du groupe B en supplément.

5. **Sélénium.** Voici l'un des antioxydants les mieux connus. Les études montrent que le sélénium protège le système immunitaire, réduit les risques de certains cancers et aide à maintenir un cœur en santé. Parmi les sources alimentaires de sélénium, il y a le blé, le brocoli et les œufs. Si vous décidez de prendre un supplément, je vous recommande de l'avaler en mangeant d'autres aliments contenant du sélénium. Cette substance aurait en effet de meilleurs résultats en combinaison avec les autres composés chimiques qu'on trouve dans la nourriture. Prenez des doses de 200 mg par jour.

Q : **Ce sont mes gènes ou mes habitudes alimentaires qui sont responsables de mon poids?**

R : Les deux. Les études ont démontré que vous pouvez hériter d'une tendance à gagner du poids. Si vous avez des prédispositions génétiques en ce sens et que votre régime alimentaire est pauvre, vous êtes à peu près certain d'avoir du poids en trop. Par contre, si vous n'avez pas ces gènes, vous pouvez manger comme un fou et ne jamais prendre un kilo. Nous connaissons tous une personne comme cela. Mais si le bagage génétique crée les risques, vos habitudes et votre environnement déterminent le résultat. Si vous avez une prédisposition pour l'accumulation de kilos en trop mais que vous mangez seulement pour rencontrer les besoins de votre organisme, vous êtes susceptible de rester mince. Vos habitudes et votre environnement ont alors gain de cause sur vos gènes. Ainsi, peu importe vos gènes, engagez-vous dans une diète saine et accordez-vous un peu de liberté les fins de semaine.

Q : **Si mes gènes me prédisposaient à gagner du poids, pourquoi n'étais-je pas gros dans mon enfance?**

R : D'autres maladies associées à des tendances génétiques, comme la haute pression sanguine, le diabète, les maladies cardiaques et même le cancer, ne se manifestent pas avant l'âge adulte. Pourquoi ? Les gènes en cause ne s'actionnent qu'assez tard dans la vie d'une personne. Les gènes de l'obésité restent à l'état de dormance jusqu'à ce qu'un événement (stress émotionnel, opération, médication, grossesse, changement de carrière, divorce) n'agisse comme un déclencheur. Malheureusement, une fois activés, ces gènes ne s'arrêtent plus. À partir de cet instant, vous devrez toujours garder sous contrôle vos habitudes alimentaires.

Q : **Qu'est-ce qu'un objectif réaliste en matière de perte de poids?**

R : Je dois entendre cette question au moins trois fois par jour. La réponse est différente pour chaque personne et se trouve à l'intérieur de votre propre corps. Vous atteindrez éventuellement un point où vous ne perdrez plus de poids, et rien ne saura vous permettre de recommencer à maigrir. Cela signifie l'une des trois possibilités suivantes : votre perte de poids a atteint un plateau, a ralenti ou s'est arrêtée pour de bon. Seul le temps vous donnera la bonne réponse.

Les plateaux durent seulement quelques semaines, tout au plus. Mais parfois, des personnes cessent de perdre du poids pendant plusieurs mois, puis recommencent soudainement à en perdre. D'autres perdent encore du poids, mais à un rythme tellement plus lent qu'il est à peine perceptible. Si cela décrit votre situation, soyez patient. Il vous faudra un peu plus de temps que prévu pour atteindre un poids santé, mais vous y arriverez. Par contre, dans certains cas, il se peut que votre corps ait perdu la quantité de poids qu'il était prêt à perdre. Si vous n'êtes pas aussi mince que vous l'auriez souhaité, voici venu le temps d'évaluer votre exploit et d'être fier de vous-même. Maintenant, votre défi consiste à conserver ce que vous avez gagné. Ne tombez pas dans le panneau de croire que vous pouvez maintenant étirer vos week-ends à toute la semaine. Ça ne fonctionne pas comme ça. Continuez à suivre la diète des tricheurs. Elle est conçue pour fonctionner durant toute la vie.

Q : **Les dépressions saisonnières qui se produisent pendant l'automne et l'hiver sont-elles liées à des rages de nourriture plus fortes ?**

R : Sans soleil, le taux de sérotonine dans le cerveau se met à baisser. Plus il est bas, plus on est susceptible de succomber à une rage de bouffe et à manger ses émotions. Le manque de soleil engendre aussi de la déprime. Les antidépresseurs peuvent aider à soulager la dépression — tout comme peut le faire une vigoureuse séance d'exercices —, mais ils ne semblent pas suffisants pour enrayer les rages de nourriture. Pour cela, vous pouvez essayer la combinaison de suppléments que je vous recommande au chapitre 8. Si vos rages deviennent hors de contrôle, voyez un médecin.

Annexe A : Faible en gras ou faible en glucides

J'ai déjà mentionné que vous pouvez perdre du poids en suivant une diète à faible teneur en gras ou en glucides. Après une année entière, ces deux types de diètes donnent des résultats quasi identiques. Ce n'est pas vraiment surprenant, car elles fonctionnent de façon très semblable lorsqu'on y regarde de plus près : toutes les deux vous font consommer moins de calories.

Faible en gras

Les diètes faibles en gras mais riches en glucides ont atteint leur apogée dans les années 1980. Depuis, leur popularité s'est estompée, mais l'establishment médical continue de les recommander chaudement. Comme toute chose, manger peu de gras a ses avantages et ses inconvénients.

Que signifie « faible en gras »?

Par définition, une diète très faible en matières grasses vous permet d'obtenir moins de 10 % de vos calories quotidiennes sous forme de gras. Certaines diètes de ce type vont même plus loin. En pratique, cela signifie un régime végétarien qui exclut aussi certains aliments du règne végétal comme les noix et les avocats.

Je crois que plusieurs de ces diètes, en autant qu'elles vous permettent de manger une large variété d'aliments, peuvent avoir des effets bénéfiques sur la santé, quoique des études menées à très petite échelle sèment le doute. Le gras accompagne souvent des aliments protéiques. Or, certaines de ces diètes recommandent d'aller chercher des protéines de sources végétales seulement. Le risque est alors grand d'avoir un apport insuffisant en protéines. C'est difficile aussi de trouver des protéines complètes dans le monde végétal, mais si vous consommez des produits laitiers sans gras et mangez beaucoup de légumineuses, en particulier des fèves de soya (dont la protéine est complète) et des produits qui en sont dérivés, vous devriez être satisfait.

Qu'est-ce qui est bon dans le « faible en gras »?

Le fait de manger moins de gras saturés est une bonne chose pour la santé. Cela réduit entre autres les risques de souffrir de maladies cardiaques, de subir des accidents vasculaires cérébraux et de contracter un cancer. Le Dr Dean Ornish affirme avoir réussi à renverser des problèmes circulatoires en imposant à ses patients une diète très faible en gras, un programme modéré d'exercices et un programme de réduction du stress.

Manger des plats faibles en gras vous aidera aussi à perdre du poids. Mais consommer moins de gras implique d'augmenter vos apports en glucides. Est-ce une mauvaise chose? Pas nécessairement. Les légumes, par définition, sont des glucides complexes, tout comme les grains entiers, et ils sont importants dans votre diète autant pour être en santé que pour perdre du poids.

Il y a quelques années, le département de l'Agriculture des États-Unis a entrepris une étude des diverses diètes afin de savoir lesquelles fonctionnent et comment elles affectent l'alimentation et la santé en général. Il est arrivé à la conclusion que les diètes faibles en gras produisent le plus bas indice de masse corporelle (IMC), ce qui signifie que les gens qui les suivent brûlent plus de tissus adipeux. Les diètes qui requièrent aussi un apport élevé en glucides sont celles qui procurent la meilleure alimentation. Rappelons que consommer moins de gras peut prévenir l'apparition de certaines formes de cancer, comme les tumeurs au sein et au côlon.

Qu'est-ce qui est mauvais dans le « faible en gras » ?

Les repas très faibles en gras peuvent vous laisser sur votre faim, ce qui peut déboucher sur une suite ininterrompue de privations et de rages. Le gras et les protéines satisfont votre appétit mieux que les glucides parce qu'ils sont absorbés plus lentement par l'organisme. Si une diète à faible teneur en matières grasses vous laisse toujours affamé, vous devenez plus susceptible de succomber à des aliments de piètre qualité.

Les critiques aiment rappeler que la folie pour les diètes faibles en gras et riches en glucides, qui a frappé les États-Unis dans les années 1980, coïncide précisément avec le début de l'épidémie d'obésité. Couper les gras ne fait pas grossir les gens, bien sûr, mais ceux-ci se mettent alors à manger des tas de nourriture industrielle faible en gras afin de calmer leur appétit, et ça, ça les fait engraisser. Pourquoi? Lorsque les fabricants retirent le gras, ils le remplacent par du sucre.

Comment fonctionnent les diètes « faibles en gras » ?

Ces diètes fonctionnent de la même façon que les autres : elles réduisent la consommation de calories. Un gramme de gras contient 9 calories. Un gramme de légumes ou de grains entiers en contient 4. Ainsi, si vous éliminez la majeure partie du gras de votre diète et la remplacez par ces aliments, vous couper une grande quantité de calories.

Suivre ce genre de diète de façon continue ralentit cependant votre métabolisme, ce qui finit par ralentir aussi votre perte de poids. Vous voulez faire en sorte d'accélérer de nouveau votre métabolisme et recommencer à brûler plus de graisses? Vous n'avez qu'à tricher pendant les fins de semaine! Si vous êtes contre cette proposition, vous pouvez continuer à manger ce que vous dicte votre diète. En fin de semaine, vous mangerez les mêmes choses que d'habitude, mais vous pourrez vous servir une deuxième assiette.

Faible en glucides

En 1972, le Dr Robert Atkins a lancé la mode des régimes à faible teneur en glucides en publiant *The New Diet Revolution*. Dans cet ouvrage, il soutenait que les glucides sont les réels ennemis en matière de perte de poids. Ainsi, si vous les retirez le plus possible de votre alimentation, vous maigrirez et serez plus en santé. Des études récentes ont montré qu'il disait vrai à propos de la perte de poids. Les régimes à faible apport en glucides peuvent vous rendre mince. On se perd cependant en conjectures au sujet de la partie santé de ses affirmations.

Que signifie « faible en glucides » ?

Par définition, une diète à faible apport en glucides mais riche en protéines ne vous permet pas d'aller chercher plus de 20 % de vos calories sous forme de glucides. Ce genre de diète peut être riche en matières grasses, puisqu'elle encourage la consommation de protéines, la plupart d'entre elles provenant du monde animal.

Ce qui constitue un « mauvais » glucide change d'une diète à l'autre. Pour certaines, cela signifie simplement éliminer tous les sucres et les produits faits de farine blanche. Pour d'autres, il ne faut manger aucun aliment à index glycémique élevé, l'index glycémique étant un chiffre indiquant la hausse du taux de glucose sanguin que provoque un aliment après son ingestion. Parfois encore, un faible apport en glucides se traduit par l'élimination de toute céréale et de tout légume.

Ces diètes connaissent un formidable succès populaire, même si l'establishment médical s'y oppose. Le fait est qu'elles semblent réellement aider les gens à perdre du poids rapidement.

Qu'est-ce qui est bon dans le « faible en glucides » ?

Vous perdez rapidement du poids dans les premiers stades d'une diète à faible apport en glucides. C'est très encourageant de voir votre poids baisser autant dans les deux premières semaines. Les médecins vous diront que la majeure partie de ce poids est une perte en eau. Et alors? Ça vous fait toujours ça de moins à transporter avec vous.

Il semblerait par ailleurs que ce genre de diète peut faire baisser votre taux de mauvais cholestérol (LDL) et vous aider à garder le contrôle sur votre pression sanguine. Presque tous les gourous « anti-glucides » disent qu'éliminer les glucides aide à maintenir un excellent taux de glucose sanguin, bien que je ne sois pas certain des preuves qui soutiennent cette affirmation.

Il y a aussi ceux qui affirment que cette façon de se nourrir est la plus naturelle qui soit pour les humains. Une vie de cueilleur et de chasseur consistait à se remplir la panse de viande, de certaines racines et de petits fruits. Bien sûr, nous ignorons quelle était l'espérance de vie de ces hommes et de ces femmes des temps anciens. À une époque où les lions affamés et les maladies infectieuses rendaient la vie assez brève, avoir un régime de vie sain ne devait pas faire partie des priorités. Manger pour rester en vie pendant 20 ans est un peu différent de manger pour rester en santé pendant 90 ans.

Qu'est-ce qui est mauvais dans le « faible en glucides »?

J'encourage mes patients à choisir leurs aliments parmi un large éventail. Or, la diète à faible apport en glucides limite la variété et devient rapidement très ennuyeuse. Je ne suis pas convaincu non plus que les effets sur la santé de ce genre d'alimentation soient tout à fait bénéfiques. Manger beaucoup de protéines peut engendrer de la cétose, un syndrome biologique caractérisé par l'accumulation de corps dits cétoniques dans le sang. Chez les diabétiques, cela peut mener à un mal plus sérieux appelé acidocétose, un état pathologique mortel. Ainsi, malgré les prétentions voulant que les diètes à faible apport en glucides puissent permettre de contrôler le taux de glucose sanguin, je ne peux me résoudre à les recommander à mes patients diabétiques.

Au moins deux études ont montré que les gens qui suivent un régime à faible apport en glucides voient monter leur taux de mauvais cholestérol, contrairement à d'autres habitudes mises de l'avant. En ce moment, nous ne savons donc pas vraiment quels effets cette diète peut avoir sur cet aspect précurseur des maladies cardiaques. Toutefois, nous avons des preuves selon lesquelles se nourrir de cette façon sur une longue période fait perdre de l'élasticité aux artères, un phénomène qui nuit au cœur et à la santé en général.

Comment fonctionnent les diètes « faibles en glucides »?

Un haut taux de glucose sanguin implique que le pancréas relâche plus d'insuline dans l'organisme, et plus d'insuline se traduit par une plus grande accumulation de cellules adipeuses. La théorie derrière les diètes à faible apport en glucides consiste à dire que manger moins de sucre garde le taux de glucose plus bas. Ainsi, il y a moins d'insuline dans votre organisme, et celui-ci emmagasine donc moins de gras. Est-ce vraiment ce qui se produit? Le débat reste ouvert. En fait, de nouvelles études avancent que le gras dans le courant sanguin provoque des pics dans le taux d'insuline, ce qui pourrait être un important facteur dans l'apparition du diabète.

Ce que nous savons, c'est que diminuer sa consommation de glucides et augmenter sa consommation de protéines et de gras assouvit la faim. En fait, des études montrent que ce type d'alimentation encourage automatiquement les gens à diminuer leur apport en calories au niveau qui leur est approprié, sans même qu'ils s'en rendent compte. Vous savez déjà que baisser sa consommation de calories ralentit le métabolisme. Le problème, c'est de lui faire prendre à nouveau de la vitesse afin de perdre du poids plus efficacement. La solution est claire : il faut tricher pendant les fins de semaine!

Si vous suivez une diète à faible apport en glucides et êtes farouchement opposé à toute consommation de chocolat pendant les weekends, laissez de côté les glucides lorsque vous trichez et, à la place, commandez-vous un ou deux hamburgers de plus.

Annexe B : Le rôle de votre médecin dans la gestion de votre poids

Souffrir d'un surplus de poids crée des problèmes d'estime de soi chez plusieurs personnes, et il n'y a pas de solution miracle. Vous n'avez pas à lire des études pour savoir que vous avez une surcharge pondérale. Vous vivez chaque jour avec les préjugés et le rejet qui viennent avec! Mais les études existent quand même. Dans l'une d'elles, la majorité des étudiants d'un collège ont affirmé qu'ils préféreraient épouser un revendeur de drogue ou un voleur plutôt qu'une personne obèse.

Plus important encore sont les problèmes de santé causés par l'obésité. Roland Sturm et Kenneth Wells, deux chercheurs de RAND Worldwide, un organisme de recherche sans but lucratif reconnu mondialement, ont récemment comparé les effets en santé et en économie de l'obésité avec ceux d'autres problèmes sociaux, comme le tabagisme, l'alcoolisme et la pauvreté.

Les résultats? L'obésité est championne toutes catégories. (La pauvreté, qui peut augmenter les risques de devenir obèse — les aliments sains coûtent cher — arrive deuxième, suivie de la cigarette et de l'alcool.) Être trop gros augmente considérablement les risques de subir des blessures en tombant, de faire une crise cardiaque ou un accident vasculaire cérébral, de souffrir d'arthrite, d'asthme ou d'apnée du sommeil, de développer du diabète et divers types de cancers (entre autres de l'utérus, du côlon, du rectum, des ovaires, du sein, du pancréas et de la prostate). Plusieurs personnes obèses ou souffrant d'embonpoint doivent se débattre avec le syndrome métabolique (le syndrome X), qui regroupe une constellation de conditions comme la silhouette en forme de pomme, des taux élevés de mauvais cholestérol, de trigly-cérides et de glucose dans le sang, une baisse du taux de bon cholestérol et une hausse de la pression sanguine. Ce syndrome ne fait pas que vous rendre plus susceptible de subir un accident vasculaire cérébral ou une crise cardiaque. Il pourrait aussi augmenter vos risques de souffrir de la maladie d'Alzheimer ou d'autres problèmes neurologiques. Parce qu'une surcharge pondérale importante peut apporter tant d'ennuis, elle devrait, à mon avis, être traitée comme un problème d'ordre médical. Cela signifie que votre médecin a un rôle à jouer dans la gestion de votre poids.

Vous n'avez pas à prendre un rendez-vous avec votre médecin de famille juste parce que vous avez décidé d'entreprendre une diète. Si vous avez 5, 10 ou même 20 lb à perdre, vous pouvez certainement y arriver par vous-même. Toutefois, je vous recommande de voir un médecin si vous tombez dans l'une des catégories suivantes :

- Vous avez une surcharge pondérale et vous êtes incapable de per-dre du poids, peu importe la diète ou le programme d'exercices que vous avez suivi.
- Vous êtes techniquement obèse (votre IMC est supérieur à 30) et n'avez pas vu un médecin au cours de la dernière année. Vous vous savez aux prises avec une condition découlant de votre sur-charge pondérale. Vous prenez des médicaments pour soulager cette condition.
- Vous êtes atteint d'obésité morbide.

Vous avez une surcharge pondérale et êtes incapable de perdre du poids

Il n'existe aucun régime qui fonctionne chez tous les sujets. Certaines personnes ont de bons résultats en coupant les glucides, d'autres en coupant les gras, d'autres en réduisant leurs portions. Une poignée de personnes ne répondent à aucune diète, et on ne sait pas trop pourquoi.

Un groupe plus large comprend les gens qui ont perdu du poids à maintes occasions grâce à une diète et qui l'ont regagné par la suite. Ils se trouvent dans l'impossibilité de perdre du poids à nouveau. Des études ont confirmé que chaque fois que nous jouons au yo-yo, il nous faut un peu plus de temps pour perdre un peu moins de poids que par le passé. Avoir une bonne excuse pour ne pas perdre de poids — même une très bonne excuse — ne vous épargne en rien toutefois. Peu importe la raison pour laquelle vous avez du poids en trop, ce poids fait courir des risques à votre santé. Si c'est votre cas, il se peut qu'il soit temps de rendre visite à un professionnel.

Un médecin peut vous apporter son aide de diverses façons. Il ou elle peut vous apporter un regard neuf qui vous permettra d'être plus honnête envers vous-même et ce que vous faites pour perdre du poids. Il ou elle peut également vérifier, surveiller et traiter des conditions dérivées comme les taux de cholestérol ou la pression sanguine. Un médecin est aussi en mesure de vous prescrire des médicaments, si nécessaire.

Malheureusement, le plus difficile est souvent de trouver un médecin que vous vous sentez à l'aise de consulter. Aujourd'hui, plusieurs spécialistes considèrent encore l'obésité comme un problème de volonté et non comme un défaut génétique. Vous n'avez pas besoin de ce genre d'attitude. Vous n'avez pas besoin qu'une autre personne vous dise : « Sortez de table et allez faire un peu d'exercice. »

Essayez de trouver quelqu'un qui a une vaste expérience en matière de traitement de l'embonpoint et de l'obésité. Vous pouvez essayer avec votre médecin de famille. Parlez-lui de vous et voyez comment la conversation évolue. Si vous aimez ce que vous entendez, vous serez plus heureux de vous confier à quelqu'un que vous connaissez depuis un certain temps plutôt qu'à un parfait étranger. Les médecins de famille sont d'ailleurs très familiers d'habitude avec les dérives de l'obésité et de l'embonpoint, comme la haute pression et un taux de glucose élevé. Si vous n'aimez pas ce que vous entendez, demandez à rencontrer un spécialiste. Très peu de médecins comprennent les conséquences de l'obésité, et c'est capital pour le succès de votre démarche que vous rencontriez la personne adéquate.

Vous êtes obèse et n'avez pas vu un médecin au cours de la dernière année

Si votre IMC dépasse le chiffre 30 (voir le chapitre 2) ou si vous être 20 % au-dessus de votre poids santé, vous êtes techniquement obèse. C'est différent de l'obésité morbide, qui signifie un poids de 50 à 100 % plus élevé, ou 100 lb de plus, que le poids santé. Bien des gens qui sont techniquement obèses croient n'avoir qu'un léger problème d'embonpoint, mais ce jugement ne se fait pas seulement d'après votre apparence. Ces données vous classent dans une caté-gorie de gens susceptibles de développer des conditions médicales parce qu'ils ont trop de matières adipeuses dans leur organisme.

Si vous êtes techniquement obèse, ou même si vous avez seulement de l'embonpoint (IMC de 25 à 30), vous pourriez avoir besoin de consulter un médecin. La seule façon d'en être sûr, c'est justement de consulter un médecin et de demander un examen général. C'est particulièrement important si vous avez des symptômes comme une respiration difficile ou courte, des douleurs à la poitrine, des engourdissements dans vos mem-bres, des maux de tête, une vision trouble, une faim et une soif extrêmes, de l'irritabilité, de la fatigue, des envies fréquentes d'uriner, des nausées, de la sudation excessive, des étourdissements, des palpitations, etc., ou tout autre malaise qui ne vous semble pas normal. Tous ces symptômes sont associés à diverses conditions découlant de l'obésité et de l'embonpoint, dont l'insulinorésistance (le stade pré-diabétique), le diabète de type 2, la haute pression sanguine et des maladies du système circulatoire pouvant mener à un accident vasculaire cérébrale ou à une crise cardiaque.

Si vous prenez déjà des médicaments contre l'une ou l'autre de ces conditions, rester en contact étroit avec votre médecin est d'autant plus important. En effet, perdre du poids, en particulier lorsqu'on souffre de maladies comme le diabète et la haute pression sanguine, peut changer les dispositions médicales. Par exemple, perdre quelques kilos peut faire baisser votre pression sanguine, ce qui serait considéré comme une bonne nouvelle pour votre santé. Toutefois, si vous continuez de prendre de fortes doses de médicaments lorsque cela se produit, vous risquez de faire baisser votre pression un peu trop, ce qui engendrerait des étourdissements, notamment. Le même effet se produira avec d'autres médicaments. Par exemple, si votre perte de poids fait en sorte de baisser votre taux de glucose sanguin, les médicaments pourraient entraîner de l'hypoglycémie.

Vous souffrez d'obésité morbide

À mon avis, l'obésité morbide constitue une urgence médicale. Si vous avez 100 lb en trop (IMC supérieur à 40), vous devez être sous la surveillance d'un médecin. À tout le moins, vous avez besoin d'une diète stricte, d'un programme d'exercice et probablement aussi de médicaments.

Dans des cas extrêmes, vous pourriez avoir besoin d'une chirurgie, bien que je ne sois pas un adepte de ce genre de procédure. Il s'agit d'opérations sérieuses, et des risques y sont associés. Aux États-Unis, 150 000 personnes subiront une chirurgie pour régler un problème d'obésité cette année. De ce nombre, 1 500 mourront de complications dues à l'opération. Toutefois, si votre santé périclite, vous pourriez ne pas avoir le choix. Avoir 99 % des chances d'aller mieux peut être un argument de taille lorsqu'on souffre de diabète ou de haute pression.

Ces opérations consistent en une réduction de l'estomac. Après, on ne peut plus manger beaucoup. Il y a aussi la possibilité de construire un pontage gastrique qui fera en sorte que l'organisme n'absorbe pas tout ce qui y entre. On peut aussi conjuguer les deux approches.

Quoi qu'il en soit, la chirurgie ne peut être qu'un pas de plus vers une meilleure santé. Vous devrez rester très vigilant au sujet de votre alimentation.

Personnes âgées obèses ou vivant avec de l'embonpoint

Les risques associés à l'obésité changent avec le temps. Si vous êtes âgé de plus de 70 ans, de récentes études avancent que votre IMC devrait être légèrement plus haut. En fait, un IMC bas (inférieur à 20) augmente les risques de décès chez les personnes âgées, possiblement en raison de malnutrition, d'ostéoporose et de fractures causées par des chutes, toutes des conditions associées à un faible taux de gras corporel. L'étude Longitudinal Study of Aging, qui a fait des observations sur 7 000 personnes, statue que des IMC de 30 à 35 pour un homme et de 27 à 30 pour une femme assurent une meilleure santé quand on a plus de 70 ans. Plusieurs experts croient maintenant qu'il est inapproprié de soigner des gens âgés obèses, à moins de prouver, cas par cas, qu'une perte de poids puisse améliorer leurs conditions de vie.

À propos des auteurs

Paul Rivas, M.D., est diplômé de l'École de médecine de l'Université du Maryland. Médecin spécialisé dans le traitement de l'obésité depuis 1994, il a traité avec succès 15 000 patients. On l'a interviewé en tant qu'expert du domaine de l'obésité dans plus de 50 émissions de radio et de télévision, comme *Good Morning America*, et publications, dont *Wall Street Journal*, *Cosmopolitan* et *Los Angeles Times*. Le Dr Rivas a aussi donné plusieurs séminaires sur la gestion du poids à des spécialistes de la santé de la région de Baltimore, au Maryland. Il est membre de l'American Society of Bariatric Physicians et de l'American Obesity Association. *Turn Off the Hunger Switch* et *Turn Off the Hunger Switch Naturally* comptent parmi les autres ouvrages qu'il a publiés.

E. A. Tremblay a été mis à contribution dans plus d'une centaine d'ouvrages à titre de coauteur ou de rédacteur. Il a été directeur de publication dans deux maisons d'importance et a coécrit, en compagnie du Dr Rivas, *Turn Off the Hunger Switch* et *Turn Off the Hunger Switch Naturally*. M. Tremblay a aussi écrit deux romans et une biographie de la biologiste Rachel Carson. Tout en travaillant pour une entreprise de relations publiques près de Philadelphie, en Pennsylvanie, et à titre de consultant pour une maison d'édition de Houston, au Texas, il dirige sa propre firme de consultants en édition.

Commandez notre catalogue
et recevez, en plus,

UN LIVRE CADEAU
AU CHOIX DU DÉPARTEMENT DE L'EXPÉDITION
et de la documentation sur nos nouveautés * .

* DES FRAIS DE POSTE DE 5,00 $ SONT APPLICABLES. FAITES VOTRE CHÈQUE
OU MANDAT POSTAL AU NOM DE **LIVRES À DOMICILE 2000**

Remplissez et postez ce coupon à
LIVRES À DOMICILE 2000, C.P. 325,
Succursale Rosemont, Montréal (Québec) CANADA   H1X 3B8

LES PHOTOCOPIES ET LES FAC-SIMILÉS NE SONT PAS ACCEPTÉS.
COUPONS ORIGINAUX SEULEMENT.

Allouez de 3 à 6 semaines pour la livraison.

* En plus de recevoir le catalogue, je recevrai un livre au choix du département de l'expédition. / Offre valable pour les résidants du Canada et des États-Unis seulement. / Pour les résidents des États-Unis d'Amérique, les frais de poste sont de 11 $. / Un cadeau par achat de livre et par adresse postale. / Cette offre ne peut être jumelée à aucune autre promotion. / Certains livres peuvent être légèrement défraîchis. **LE CHOIX DU LIVRE CADEAU EST FAIT PAR NOTRE DÉPARTEMENT DE L'EXPÉDITION. IL NE SERT À RIEN DE NOUS INDI-QUER UNE PRÉFÉRENCE.**

La diète des tricheurs (#528)

Votre nom: ....

Adresse: ....

....

Ville: ....

Province/État ....

Pays: ....Code postal: ....

Date de naissance: ....

La diète des tricheurs (#528)

La diète des tricheurs (#528)

La diète des tricheurs (#528)